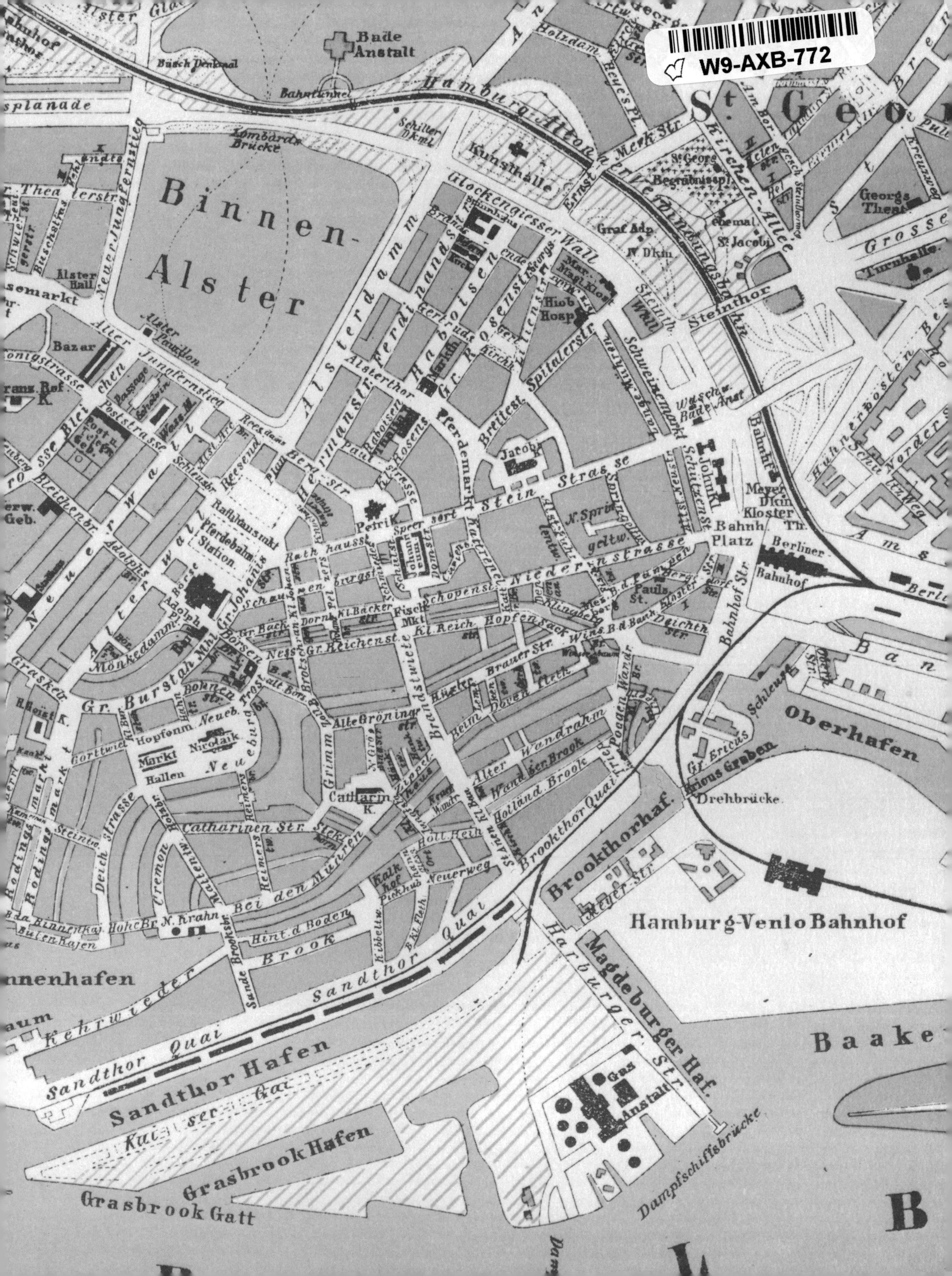

Binnen-Alster
Bade Anstalt
Büsch Denkmal
Bahntunnel
Lombards Brücke
Schiller Dkml
Kunsthalle
Hamburg-Altonaer Verbindungsbahn
St. Georg
Ernst Merk Str.
Kirchen-Allee
St. Georg Begräbnisspl.
Georgs Theat.
Grosse
Turnhalle
Glockengiesser Wall
Graf Adp. IV. Dkm.
ehemal. St. Jacobi
Steinthor
Steinth. Wall
Hiob Hosp.
Spitalerstr.
Schweinemarkt
Alsterdamm
Ferdinandstr.
Raboisen
Gr. Rosenstr.
Alsterthor
Hermannstr.
Pferdemarkt
Breitest.
Jacobi K.
Wasch. u. Bade Anst.
Stein Strasse
Johanni Kl.
Springeltw.
N. Springeltw.
Mayer Dkm.
Kloster Thor
Bahnh. Platz
Berliner Bahnhof
Hühnerposten
Bahnhof Str.
Niedernstrasse
Pauls St.
Klosterstr.
Deichthstr.
Schopenst.
Hopfensack
Petri K.
Speersort
Rathhausstr.
Pferdebahn Station
Börse
Adolph Pl.
Gr. Johannis
Rathhausmarkt
Alter Wall
Neuer Wall
Alster Pavillon
Jungfernstieg
Neuer Jungfernstieg
Bazar
Poststrasse
Post u. Telegr. Geb.
Bleichenbr.
Grosse Bleichen
Alster Hall
Buschstr.
Theaterstr.
Alsterarc.
Reesendamm
Schleusbr.
Mönkedamm
Gr. Burstah
Gr. Reichenst.
Kl. Reichenst.
Brandstwiete
Brauer Str.
Doven Fleth
Alte Gröningerstr.
Brotschrangen
Hopfenm.
Neueburg
Nicolai K.
Markt
Hallen
Catharinen K.
Catharinen Str.
Grimm
Deichstrasse
Steinstr.
Rödingsmarkt
Cremon
Bei den Mühren
Alter Wandrahm
Neuer Wandrahm
Holländ. Brook
Brookthor Quai
Brookthorhaf.
Oberhafen
Ericus Graben
Gr. Ericus
Drehbrücke
Hamburg-Venlo Bahnhof
Meyer Str.
Kalkhof
Pickhub
Neuerweg
N. Krahn
Binnenhafen
Hint. d. Boden
Brook
Kehrwieder
Sandthor Quai
Sandthor Hafen
Kaiser Quai
Grasbrook Hafen
Grasbrook Gatt
Magdeburger Haf.
Harburger Str.
Gas Anstalt
Dampfschiffsbrücke
Baake
Bahnhof
Steinthor

Schneider/Krieger

Hamburg Innenstadt

Ursula Schneider
Fotografien von Sven Krieger

Hamburg Innenstadt

Von der vorindustriellen Kaufmannsstadt
zur modernen City

Christians

Bildnachweis

Vorsatzkarte: Museum für Hamburgische Geschichte, Hamburg
S. 6: Staatliche Landesbildstelle, Hamburg
S. 13: Foto Hamann, Staatliche Landesbildstelle, Hamburg
S. 20: Manfred Stern, Museum der Arbeit, Hamburg
S. 25: aus: Die Alsterarkaden, Hamburg 1991
S. 26: aus: Hamburg, Historische und baugeschichtliche Mitteilungen, Hamburg 1868
S. 34: Staatliche Landesbildstelle, Hamburg
S. 46: Postkarte
S. 48: Staatliche Landesbildstelle, Hamburg
S. 52: Staatliche Landesbildstelle, Hamburg
S. 58: Staatliche Landesbildstelle, Hamburg
S. 68: Staatliche Landesbildstelle, Hamburg

Impressum

Die Deutsche Bibliothek – CIP-Einheitsaufnahme
Hamburg Innenstadt: von der vorindustriellen Kaufmannsstadt zur modernen City / Ursula Schneider. Fotogr. von Sven Krieger. – Hamburg: Christians, 1994
ISBN 3-7672-1202-1
NE: Schneider, Ursula; Krieger, Sven

Gestaltung: Ulrike Thiele
Bildunterschriften
englisch: Keith Bartlett
französisch: Odile Martin
Serviceteil: Wiebke Schuleit
ISBN 3-7672-1202-1

Inhalt

Bürgerhäuser und Speicher am Holländischen Brook (1884), die für den Bau der Speicherstadt niedergerissen wurden

Patrician villas and warehouses in »Holländischer Brook« in 1884, before the construction of the »Speicherstadt«, the so-called »Warehouse City«

Maisons bourgeoises et magasins au bord du Holländischer Brook en 1884, avant la construction de la »Cité des entrepôts«

Zu diesem Buch

Dieses Buch verfolgt den Weg Hamburgs von der vorindustriellen Kaufmannsstadt zur modernen City bis hin zu den städtebaulichen Aktivitäten der jüngsten Zeit. Die Stationen dieses Weges sind in erster Linie Gebäude, aber auch Straßen und Plätze, Wasserläufe und Brücken – prominente und kaum beachtete, anerkannte und umstrittene. Für ihre Bedeutung als Zeugnisse der Stadtentwicklung, der Architektur- und Sozialgeschichte die Augen zu öffnen, ist ein Anliegen dieses Bandes.

Das Gesicht der Hamburger Innenstadt wird heute noch maßgeblich bestimmt von der Architektur und dem Städtebau des ausgehenden 19. und frühen 20. Jahrhunderts – noch immer prägen die Türme die Stadtsilhouette. Dies und die enge Verbindung zum Wasser machen den besonderen Reiz und die Unverwechselbarkeit des Stadtbildes aus.

Für den Umbau der alten Kaufmannstadt zur modernen Geschäftsstadt im Laufe des 19. und 20. Jahrhunderts wurde der Verlust der überlieferten Stadtstruktur und jahrhundertealter Gebäude in Kauf genommen.

So ist es kein Zufall, daß aus dem 17. und 18. Jahrhundert nur wenige und von der mittelalterlichen Stadt nahezu keine baulichen Zeugnisse übriggeblieben sind. Lediglich in Kirchenbauten, in vorhandenen oder zugeschütteten Fleetverläufen, in alten Straßen- und Brückennamen ist noch ein Stück der alten Hansestadt aufgehoben.

Die Entwicklung der mittelalterlichen Stadt sei deshalb wenigstens an dieser Stelle kurz skizziert:

Die Siedlungsgeschichte Hamburgs beginnt um 800 mit der Hammaburg, einer karolingischer Missionsstation auf der Geestzunge zwischen Alster und Elbe, dem heutigen Domplatz. Sie lag an der (bereits 1250 gepflasterten) Steinstraße, einem wichtigen Handelsweg. Im Westen ließen sich Handwerker und Händler nieder, an dem Flußarm im Süden, dem späteren Reichen-und Bäckerstraßenfleet saßen schon seit 850 Fernhändler, an die der Name Große Reichenstraße erinnert. Gegenüber, auf dem Gelände der Neuen Burg (1060) am westlichen Alsterufer gründete Graf Adolph III. 1186/7 eine Siedlung mit Hafen, für die er 1189 den »Freibrief« von Friedrich II. erhielt, auf den der »Hafengeburtstag« zurückgeht. Die alte erzbischöfliche und die neue gräfliche Stadt schlossen sich 1216 unter der Herrschaft der Schauenburger Grafen zusammen. An der Trostbrücke entwickelte sich seit Ende des 13. Jahrhunderts ein gemeinsames Wirtschaftszentrum mit Kran, Waage, Zollhaus, Rathaus und später dem »Niederngericht« und der Börse. In dieser Zeit wurden auch das Rödingsmarktviertel (mit der Deichstraße) sowie die Inseln Cremon und Grimm eingedeicht. Hier entstand nach dem ältesten Kirchspiel St. Petri und nach der Gründung von St. Nikolai als der Kirche der (gräflichen) Neustadt mit St. Katharinen das dritte Kirchspiel. Das vierte, St. Jakobi, erstreckte sich östlich des »Heidenwalls«, der um 1000 zum Schutz der Hammaburg angelegt worden war. Hier hatten sich vor allem kleine Gewerbetreibende angesiedelt.

Mitte des 13. Jahrhunderts wurde die Stadt, deren Gebiet in etwa dem der heutigen Altstadt entsprach, befestigt und dabei auch der nördliche Teil der Brookinsel jenseits des Zollkanals und der Binnenhafen einbezogen. In diesen Grenzen bestand die Stadt fast 300 Jahre. Mit der Stadterweiterung des 17. Jahrhunderts, die das heute Neustadt genannte Vorland im Westen in den Wallring einschloß, hat sich die innerstädtische Fläche fast verdoppelt.

Dieses Buch folgt insofern der Stadtentwicklung, als es zunächst den Bauzeugnissen der Altstadtgeschichte nachgeht und dann die Bebauung und Umstrukturierung der Neustadt beschreibt.

Die Fleetseite der Häuser an der Deichstraße: Winden und Ladeluken dienten dem wasserseitigen Warenumschlag.

The houses in Deichstrasse, viewed from the canal, with their winches and loading hatches for cargo.

Les maisons de la Deichstrasse, côté canal. Les treuils servaient à la manutention des marchandises transportées par bateau.

Auf den Spuren der vorindustriellen Kaufmannsstadt

Bis weit in das 19. Jahrhundert hinein beherrschte das althamburgische Bürgerhaus, das Wohnen, Lager und Kontor unter einem Dach vereinte, das Bild der von Fleeten durchzogenen südlichen Altstadt. Wenn heute nur noch wenige Beispiele dieses Gebäudetyps erhalten sind, so liegt das nur zum Teil an den Zerstörungen des Zweiten Weltkrieges und der Art des Wiederaufbaus in den Jahrzehnten danach. Denn bereits Mitte des 19. Jahrhunderts, im Zuge der Neugestaltung der Innenstadt nach dem Großen Brand von 1842, setzten sich neue Formen von Wohn- und Geschäftshäusern durch. Dem Bau des Freihafens mit der Speicherstadt (1885 bis 1913) opferte der Senat ein altes Kaufmannsviertel, den Wandrahm. Gleichzeitig begannen in der inneren Stadt reine Kontorgebäude die alten Bürgerhäuser zu verdrängen, ließen anstelle der Wohn- und Handelsstadt eine Geschäftsstadt, eine City, entstehen.

Einer Bürgerinitiative, dem Verein »Rettet die Deichstraße«, ist es zu danken, daß das letzte Ensemble Alt-Hamburger Bürgerhäuser Ende der 1970er Jahre restauriert wurde. Baugeschichtlich bedeutsam ist die Deichstraße allerdings nicht allein wegen dieses Stückes Alt-Hamburg: An ihren »Nachbrand«- und Kontorhäusern läßt sich zugleich – »verdichtet« wie an keiner anderen Stelle – die Entwicklung der Stadt vom 18. bis zum 20. Jahrhundert verfolgen.

Die Deichstraße zieht sich am Nikolaifleet, dem alten Alsterlauf und ersten Hamburger Hafen, entlang und bildete ursprünglich die Krone des Deiches, der das im 13. Jahrhundert besiedelte Rödingsmarktviertel schützte. An die Erstbebauung auf der Landseite im Westen erinnert nur die Fassade eines um 1750 errichteten Gebäudes (Nr. 42), hinter der sich nach Kriegsschäden, Brand und Abbruch ein Neubau verbirgt. Sie markiert die ursprüngliche Breite der Straße und steht für den Typus des sogenannten Binnendeichhauses, die charakteristische Bebauung für die besonders tiefen, landseitigen Grundstücke: An das Vorderhaus schlossen sich ursprünglich ein Hofflügel und ein am rückwärtigen Fleet gelegener Speicher an. Der Zuschnitt dieser Parzellen läßt sich ermessen, wenn man dem Durchgang im Haus Nr. 34 zum ehemaligen Deichstraßenfleet (heute: Steintwietenhof) folgt, an dessen Verlauf noch einige Speicher aus dem 19. und 20. Jahrhundert erinnern.

Die Grundstücke am Nikolaifleet – zunächst nur Anlandeplätze für Waren – wurden seit dem 15. Jahrhundert bebaut. Entsprechend der geringeren Parzellentiefe bestehen diese »Außendeichhäuser« nur aus einem Gebäude. Sogenannte Fleetgänge (zwischen Nr. 21 und 23, Nr. 43 und 45 z. B.) sicherten den Brauereien und Kaufleuten in den älteren Binnendeichhäusern weiterhin den notwendigen Zugang zum Wasser. Heute führen sie den Besucher zu Pontons auf dem Nikolaifleet. Den südlichen Teil der Deichstraße prägen die schmalen, reichverzierten Giebelfronten solcher aus dem 17. und 18. Jahrhundert stammenden Außendeichhäuser (Nr. 47 und 49 sind z. T. rekonstruiert).

Man betrat sie – und das galt ebenso für die Binnendeichhäuser – von der Straße her durch ein aufwendig gestaltetes hohes Portal (barocke Portale sind erhalten an Nr. 42 und 47) und gelangte in eine zweigeschossige Diele, die oft die ganze Breite eines Hauses einnahm und dessen repräsentatives Zentrum bildete. Eine üppige Treppenanlage mit Galerie, die zu den Wohnräumen in den Obergeschossen führte, unterstrich diese Bedeutung. Im Haus Nr. 37, dem Alt-Hamburger Bürgerhaus, wurde die Diele im Zuge der Sanierung der Deichstraße restauriert. Sie ist aber leider nur Gästen der Hamburg-Messe zugänglich. Reste von Dielenausstattungen finden sich auch in den heute als Restaurants genutzten Häusern Nr. 25 und Nr. 47.

Zugleich war dieser zentrale Raum ein Arbeitsort: Eine Luke in der Decke, das Seil einer Winde und ein abgeteiltes Kontor wie sie in der Kaufmannsdiele im Museum für Hamburgische Geschichte zu finden sind (siehe S. 91), zeugen davon, daß hier Waren ein- und ausgingen. Hinweise auf den Warenumschlag geben aber vor allem die Winden und Luken an den Fleetseiten der Häuser, die – im Gegensatz zu den »Schauseiten« an der Straße – in der Regel in schlichter Fachwerkbauweise ausgeführt sind: Die Fässer, Säcke oder Ballen mußten von den im Binnenhafen liegenden Schiffen auf Schuten (flache Kähne) verladen, in die Fleete gestakt und mit Winden auf die Lagerböden gehievt werden.

Diese Bürgerhäuser dienten als Arbeitsplatz und Wohnung für eine Hausgemeinschaft, zu der nicht nur mehrere Generationen einer Familie, sondern auch die Angestellten der »Handlung« und Dienstboten gehörten. Wohnen und Wirtschaften waren also eng verknüpft. In Adreßbüchern finden sich aber auch Belege dafür, daß es – zumindest im 19. Jahrhundert – üblich war, Wohn- und Geschäftsräume auch zu vermieten.

Zum Bild der vorindustriellen Kaufmannsstadt gehören neben den Bürgerhäusern auch reine Speicher mit Luken in jedem Geschoß. Der um 1780 errichtete sogenannte Bardowicker-Speicher (Nr. 27) gilt als das älteste erhaltene Beispiel dieses Gebäudetyps.

Den ersten tiefen Eingriff in die Struktur der alten Kaufmannsstadt bezeugen die hellen Putzbauten mit Flachdächern in der nördlichen Deichstraße (Nr. 19 bis 25, Nr. 32), die nach dem Großen Brand von 1842 entstanden sind. Insofern »verdankt« die Deichstraße ihre baugeschichtliche Besonderheit einer Katastrophe: Der Brand war im Mai 1842 im Speicher des Hauses Nr. 38 (oder Nr. 44?) ausgebrochen und zerstörte in wenigen Tagen ein Drittel der alten Kaufmannsstadt. Das Haus Nr. 25, ein Restaurant mit dem etwas irreführenden Namen »Zum Brandanfang«, markiert die Stelle, wo das Feuer auf die Außendeichseite übersprang. Während der barocke Speicher stehenblieb, fielen die Nachbargebäude dem Brand zum Opfer.

Der Wiederaufbau gab der Stadt ein völlig neues Gesicht: Straßen wurden verbreitert – auch die Deichstraße nach dem Haus Nr. 42 –, an die Stelle alter Giebelhäuser traten helle Putzbauten, in denen repräsentative Wohnräume in einer auch an der Fassade hervorgehobenen Beletage die alten Dielen verdrängten. Das schmutzige Warengeschäft wurde hinausverlagert in separate Speicher. Ein Blick ins Innere des gleich nach 1842 von dem Architekten Luis errichteten Wohnhauses des Oberalten Schäffer (Nr. 19) zeigt diesen Wandel: Die Kontorräume im Erdgeschoß sind geblieben, eine seitliche Treppe führt in die Wohnräume nach oben – ein rollbares Gitter am oberen Treppenabsatz trennt Privat- und Geschäftsleben. Diese Form von Bürger- oder Stadthäusern war in Hamburg bereits im ausgehenden 18. Jahrhundert aufgekommen. Größere Verbreitung fanden sie erst nach 1842. Letzteres gilt auch für das »Etagenhaus«, wie das damals neue Mietshaus für wohlhabendere Kreise bezeichnet wurde. Mit dem kurz nach 1842 erbauten Eckgebäude Nr. 32 ist eines der ältesten Beispiele dieses neuen Wohnhaustypus erhalten, an dem ebenfalls die Tendenz der Trennung von Wohnen und Geschäftsleben zum Ausdruck kommt.

Die Fassaden dieser Neubauten repräsentieren die stilistische Vielfalt der sogenannten »Nachbrand«-Architektur: Neben schlichten klassizistischen, wie Nr. 32, gibt es solche im sogenannten Romantischen Historismus, der romanische, gotische, orientalisierende Formen und Elemente der Frührenaissance miteinander verband, um in der Synthese verschiedener geschichtlicher Möglichkeiten einen eigenständigen Stil des 19. Jahrhunderts zu gewinnen. Das Haus Nr. 19 ist eines der besten Beispiele dafür.

Auch die im späten 19. Jahrhundert einsetzende Verdrängung des Wohnens zugunsten der Büronutzung ist an dem Deichstraßenensemble ablesbar. Das Kontorhaus Nr. 29 macht sich seit etwa 1906/07 auf ehemals drei Grundstücken zwischen alten Kaufmannshäusern breit. Das altbewährte Baumaterial Backstein, ein barockisierendes Steinportal und Quaderlisenen stellen den neuen Gebäudetypus in althamburgische Tradition, und die in einer Mischung von Barock und Jugendstil dekorierte Eingangshalle erinnert noch an die alte Pracht der Dielen, die ja auch so etwas wie Visitenkarten waren. Wie Nr. 29, so ist auch das um 1909/10 errichtete »Haus der Seefahrt«, Nr. 51, ein Mietkontorhaus mit frei einteilbaren Etagen und moderner Technik (Paternoster und Aufzügen). An der Hausecke über dem Fleet verweist die Bronzegruppe der seefahrenden Hammonia auf Hamburgs Überseehandel.

Die Mündung des Nikolaifleets – also der Alster – in den heutigen Zollkanal und ehemaligen Binnenhafen trennt das Rödingsmarktviertel von der Cremon-Insel. Beide sind spätestens seit 1260 durch die »Hohe Brücke« verbunden, die auch größeren Schiffen die Durchfahrt zum Herz der Handelsstadt mit Rathaus, Börse, Kran und Waage am oberen Nikolaifleet ermöglichte. Die heutige Brücke entstand 1886/87 in historistischen Formen und hatte damals den in Hamburg weitesten Bogen von 24 Metern.

An der Uferzone beim »Neuen Kran« sind seit 1352 Kräne nachweisbar. Der letzte, bei seiner Aufstellung 1858 als Handkurbelkran eine technische Neuheit,

▲ *Die (restaurierte) zweigeschossige Diele des Alt-Hamburger Bürgerhauses, Deichstraße 37*

The (restored) split-level hallway in the traditionally-built patrician villa at 37 Deichstrasse

Le vestibule à deux niveaux d'une ancienne demeure hambourgeoise (restaurée) au N° 37 de la Deichstrasse

▶ *Beim Einbau von Luken auf der Straßenseite wurde das Hermes-Relief am Cremonspeicher Nr. 34 an die Seite versetzt.*

The Hermes relief at 34 Cremon was moved to the side during construction of the loading hatches.

Un bas-relief représentant Hermès orne l'entrepôt N° 34 du Cremon.

ziert die Promenade inzwischen als Denkmal. Nach der Umrüstung auf Elektroantrieb 1896 war er noch bis Anfang der 1970er Jahre in Funktion. Sein Vorgänger, der 1570 erbaute Neue Kran, mußte als Tretradkran von acht Kranknechten betrieben werden. Nach 300 Jahren forderte die Kommerzdeputation einen modernen Ersatz, weil man sich bei seinem »Anblick ins Mittelalter zurückversetzt« glaubte. Der zinnenbekrönte gelbe Ziegelbau von 1888 war ursprünglich Dienst- und Wohnsitz des Kranwärters für die ehemals drei öffentlichen Kräne.

Die Cremon-Insel, deren ungeklärter Name noch in der Straße entlang dem Nikolaifleet überliefert ist, wurde wahrscheinlich im 13. Jahrhundert eingedeicht und ins befestigte Stadtgebiet einbezogen. Auf historischen Plänen ist eine ähnliche Parzellenstruktur zu erkennen wie im Rödingsmarktviertel. Der bei der Eindeichung entstandene Entwässerungsgraben wurde im 16. Jahrhundert zum befahrbaren Fleet, dem Katharinenfleet, erweitert und nach der Zerstörung der Bebauung im Krieg 1949 zugeschüttet. Sein Verlauf ist z. T. noch an der Straßenbezeichnung ablesbar.

Die aus dem 18. und 19. Jahrhundert stammende Speichergruppe am Cremon (Nr. 33–36) dokumentiert ein Stück Lagerhausgeschichte außerhalb der Freihafenspeicherstadt. Das älteste Gebäude ist wohl der Backsteinbau Nr. 35, dessen rückseitige, leicht auskragende Fachwerkkonstruktion auf das späte 18. Jahrhundert verweist. Die Vorderseite wurde nach einem Brandschaden 1897 erneuert. Der jüngste Cremonspeicher, Nr. 36, entstand noch während der ersten Ausbauphase der Speicherstadt (1882–1886) und läßt sich mit seinen gotisierenden Elementen auch stilistisch mit den Freihafenbauten verbinden. Ungewöhnlich ist, daß die ornamentalen Wandleuchter auch die oberen Ladeluken erhellen.

Mit dem Zollanschluß Hamburgs beschränkte sich die zollfreie Lagerung von überseeischen Waren auf das Freihafengebiet und die Speicherstadt (siehe S. 19). Die (jetzt binnenländischen) Fleetspeicher verloren an Bedeutung und waren allenfalls noch für den Inlandhandel attraktiv. Die mit klassizistischen Eckpilastern und Gesimsen gegliederte Fassade des um 1800 errichteten Gebäudes Nr. 34 zeigt Spuren dieser Veränderung: Die Lukenzone durchschneidet die Gesimse, denn sie wurde erst nachträglich (1913) eingebrochen und machte den Speicher für den landseitigen Warenverkehr komfortabler. Der auf Säcken lagernde Hermes, der ursprünglich das Portal schmückte, war dabei im Wege und wurde an die Seite versetzt.

Der Veränderungsdruck, dem die alte Fleetbebauung nach dem Zollanschluß ausgesetzt war, ist auch für den vermutlich 1868 / 69 errichteten Putzspeicher Cremon Nr. 33 belegt. Seine Besitzer boten ihn in den 1890er Jahren zweimal zur Versteigerung an: »Die sehr solide aufgeführten Felsen-Vorsetzen und die Lage am Canal nahe dem Hopfenmarkte, sowie die bequeme Größe sind Vorzüge, die dem Speicher auch unter den veränderten Zollverhältnissen seinen Werth und seine Benutzbarkeit sichern, zumal Land- und Wasserwinde vorhanden sind. Da in den Mauern mehrere Schornsteine liegen und die Böden mehr als die gewöhnliche Speicherhöhe haben, so ließe sich dieses Haus übrigens auch leicht zu Comptoiren umbauen.« Nach der Modernisierung der Dachgeschosse und der Ausstattung mit einer motorisierten Seilwinde an der Straßenseite kam es 1921 zum Einbau der ersten Kontorräume.

Zwei kleine Erschließungsstraßen oder Zwischengäßchen, die Matten- und die Reimerstwiete, verbanden die Uferstraße Bei den Mühren mit der Katharinenstraße und führten über das Nikolaifleet zum Hopfenmarkt. Nur entlang der 1323 erstmals erwähnten Reimerstwiete, deren schmales Straßenprofil überdauert hat, steht noch ein kleines Ensemble der vorindustriellen Bebauung. Es handelt sich um schlichte Fachwerkhäuser aus dem ausgehenden 18. und frühen 19. Jahrhundert. Im Gegensatz zu den an Hauptstraßen und Wasserläufen gelegenen Parzellen waren die Grundstücke entlang der Twieten weniger für den Warenverkehr und das Brauereiwesen geeignet. Hier ließen sich »kleine Leute« nieder. Die Adreßbücher nennen beispielsweise Grützmüller, Reepschläger, Bäcker oder Schlosser. Während die Häuser Nr. 17 bis 20 Mietwohnungen und Geschäftsräume enthielten, steht am ehemaligen Katharinenfleet ein Speicher. Verzierte Eisenstützen in den unteren Geschossen verweisen auf Umbauten und Umnutzungen zum »Verkaufs- und Restaurationslokal« oder zu Kontorräumen im späten 19. Jahrhundert. Die nostalgische Neubauzeile gegenüber entstand nach der Renovierung des Ensembles in den 1980er Jahren.

Die Straße Bei den Mühren erinnert noch an die mittelalterliche Stadtmauer, die hier im Süden die Stadt begrenzte. Der schmale und gegenüber den Nachbargebäuden auffallend niedrige Putzbau Bei den Mühren Nr. 69 (ein Neubau von 1834 mit einem gründerzeitlichen Kastenerker und Segmentbogengiebel) bildet zusammen mit dem anschließenden Fachwerkhofflügel und dem rückwärtigen Speicher (1846) am ehemaligen

◀ *Die Speichergruppe am Cremon, ein Ensemble von Fleetspeichern aus der Zeit vor dem Bau des Freihafens, von der Straßen- und von der Wasserseite*

Warehouses in Cremon built before the Free Port was established. Viewed from the street and the canal

L'ensemble des entrepôts du Cremon, représenté ici côté rue et côté eau, date d'une époque antérieure à la construction du port franc

▲ *Fachwerkhäuser an der Reimerstwiete. Im Vordergrund die Brücke über das Katharinenfleet*

Half-timbered houses in Reimerstwiete. In the foreground the bridge over the Katharinen Canal

Reimerstwiete: une ruelle bordée de maisons à colombages. Au fond, le pont enjambant le canal Katharinenfleet

◀ *Der Zollkanal, die Katharinenkirche und Geschäfts- und Wohnhäuser am Zippelhaus (1890–1895)*

The »Zollkanal«, the Church of St. Katherine, offices and housing near the »Zippelhaus« (1890–1895)

Le Zollkanal (canal de la douane), l'église Ste-Catherine et les immeubles du Zippelhaus (1890–1895)

▼ *Die Ecke Neue Gröningerstraße/Zippelhaus mit der modernen Ergänzung*

The corner of Neue Gröningerstrasse with the »Zippelhaus« and its modern annex

L'angle Neue Grönningerstrasse/Zippelhaus: symbiose entre l'ancien et le moderne

Katharinenfleet (heute Katharinentwiete) das letzte erhaltene Beispiel eines Binnendeichhauses (siehe S. 9). Auch wenn die Rettung dieses einmaligen Baudenkmals mit erheblichen Verlusten der alten Substanz einherging, so vermittelt die Anlage doch noch einen Eindruck vom räumlichen Zuschnitt althamburgischer Kaufmannshöfe.

Die Katharinenkirche liegt als Pfarrkirche der im 13. Jahrhundert eingedeichten und besiedelten Marschinseln Cremon und Grimm an der Stelle, wo eine Brücke über das ehemalige Steckelhörnfleet die beiden Inseln verband. Das Katharinenkirchspiel ist erstmals 1274 erwähnt. Wie andere Pfarrkirchen, so hat auch St. Katharinen Vorgängerbauten. Daß der Turm nicht in der Mitte der Kirchenfront steht, ist ein Hinweis darauf. Der heutige Bau, eine Rekonstruktion der im Krieg schwer zerstörten Kirche aus den 50er Jahren, geht zurück auf eine zwischen 1350 und 1450 errichtete, dreischiffige Basilika. Das ungewöhnliche, über alle drei Schiffe herabgezogene Dach ist die Folge von Umbauten um 1650. Der vielfach veränderte untere Teil des Turmes stammt noch aus dem dritten Viertel des 13. Jahrhunderts, ist damit ein Zeugnis der frühen Backsteingotik in Norddeutschland und zugleich das älteste aufrecht stehende Mauerwerk Hamburgs (H. Hipp). Der barocke Turmhelm – ein Entwurf von Peter Marquardt aus dem Jahre 1656/57 – wurde ebenfalls nach dem Kriege wieder aufgebaut. Die goldene Krone ist das Emblem der Kirchenpatronin.

Wie andere Hamburger Kirchen war auch St. Katharinen von einem Kranz von Anbauten umgeben. Unter den in den 50er Jahren errichteten Gebäuden der Kirchengemeinde fällt im Südosten die spätbarocke Sakristei ins Auge (1792). Das barocke Sandsteinportal kommt von einem Bürgerhaus am Cremon.

Ihre städtebauliche Wirkung als freistehendes Gegenüber der Speicherstadt kann die Katharinenkirche erst seit den 1880er Jahren entfalten, nachdem mit dem Ausbau des ehemaligen Mührenfleets zum Zollkanal, der Grenze zwischen Stadt und Freihafen, die südliche Bebauung der Straße Bei den Mühren abgerissen wurde.

Dieser Maßnahme fiel 1887 auch das alte Zippelhaus (Zippel = Zwiebel) zum Opfer, der Bardowicker Gemüsespeicher, ein schlichter Fachwerkbau, der den Gemüsehökerinnen zugleich Unterkunft bot. Daraufhin ließen sich die Bardowicker in der Deichstraße nieder (siehe S. 10). Die nach dem Abbruch des Speichers ausgebaute Straße erhielt den Namen Beim Zippelhaus. Auf den freigewordenen Grundstücken entstand zwischen 1890 und 1895 ein Gebäudekomplex, der aus unterschiedlichen Gründen Beachtung verdient:

Das »Frachtenhaus« an der Ecke Zippelhaus/ Neue Gröningerstraße nimmt mit seiner abgeschrägten Ecke Rücksicht auf die städtebauliche Wirkung des Kirchenbaues. Den Runderker schmücken Putti, die spielerisch mit dem Warenumschlag befaßt sind. Die verniedlichende Darstellung von Arbeit ist ein häufig wiederkehrendes Motiv (vgl. Brandstwiete Nr. 50). Bemerkenswert an diesem Gebäude ist aber auch die 1993 fertiggestellte Rekonstruktion der kriegszerstörten oberen Stockwerke (Architekten: B. und D. Gössler). Die Maßstäblichkeit sowohl der früheren Baumassen wie der Fensterflächen und die Farbigkeit der Fassade finden sich im Neubau wieder, doch zugleich steht er im Kontrast zum alten Renaissancebau und ist auf eigensinnige Weise heutig: Die in leichte Metallrahmen gefaßten Fenster liegen quer zu den hölzernen Vertikalen des Altbaus, glatte Putzflächen grenzen den neuen Teil vom Ziegelmauerwerk ab, machen den »Bruch« kenntlich.

Der Figurenschmuck des Zippelhauses nimmt mit den Hermenbüsten von Gutenberg und Sennefelder, dem Erfinder der Lithographie, Bezug auf die Druckerei, die der Bauherr wie viele andere seines Gewerbes hier in Hafennähe betrieb. Durch Material, Farbigkeit und den Rückgriff auf Formen der sogenannten Nordischen Renaissance schließen sich diese Gebäude mit dem »Transporthaus« zu einem Ensemble zusammen, dessen gestalterische Qualitäten sich durchaus mit denen der Speicherstadt messen können. Gemeinsam ist diesen Häusern auch die Art ihrer Nutzung. Läden im Erdgeschoß, darüber Kontorräume – leicht zu erkennen an den großen Fenstern –, in den Obergeschossen aber noch Wohnungen. Darin, wie auch in der Materialwahl und den Stilmitteln, unterscheiden sie sich vom im Krieg teilweise zerstörten Nobelshof, einem reinen Kontorhaus, dessen Werksteinfassade an italienische Palazzi erinnert. Entworfen ist es, wie das Transporthaus, von dem bedeutenden Architekten des Historismus in Hamburg, Martin Haller.

An der Brandstwiete, die 1868/69 als Hauptverbindung zum Hafen verbreitert wurde, steht eine Reihe von Neorenaissance-Etagenhäusern aus den 1870er Jahren, deren Räumlichkeiten teilweise schon die wachsende Nachfrage nach Kontoren berücksichtigen.

Unberührt von allen Eingriffen in die alte Stadtstruktur ist ein Rest der Gröningerstraße mit zwei Häu-

sern erhalten geblieben (heute: Ost-West-Straße 45 und 47). Das barocke Bürgerhaus mit Quaderlisenengliederung, Volutengiebel und hohem Portal stammt aus den Jahren 1761/62 und beherbergt eine Brauerei. Das klassizistische Etagenhaus Nr. 47 entstand Mitte des 19. Jahrhunderts und ist wohl später umgebaut worden. Das reine Kontorhaus daneben, das Asiahaus (1906, erweitert 1909, Architekt: G. Radel) steht wiederum für den Umstrukturierungsprozeß zur City seit dem späten 19. Jahrhundert. Hinter der mit fernöstlichen Motiven geschmückten Fassade verbirgt sich eines der schönsten Jugendstiltreppenhäuser mit großem Lichthof.

Alt-Hamburg ist auch noch in den Straßenzügen Schopenstehl, Kleine Reichenstraße und Hopfensack gegenwärtig. Aus der Zeit um 1780 stammt die Fassade des Hauses Nr. 32/33 im Schopenstehl – ein Straßenname, der an die Schöpfkelle der Brauer erinnern soll. Das Haus selbst und der daran anschließende Trakt bis zur Kleinen Reichenstraße 24 sind Neubauten von 1885 bis 1888. Die spätbarocke Front am Schopenstehl wurde damals neu verputzt und noch reicher dekoriert. Das Rokokodoppelportal aus Sandstein und die geschnitzten Türflügel blieben dabei erhalten. Zusammen mit dem gleichzeitig entstandenen und ebenfalls für Wohnzwecke, Kontore und Läden geplanten Gebäudekomplex Schopenstehl 31/Kleine Reichenstraße 20, an dessen Neorenaissancefassade im Süden die großen Kontorfenster im ersten Obergeschoß auffallen, bezeugt dieses Ensemble den Umbau der alten Kaufmannsstadt zur gründerzeitlichen Wohn- und Geschäftsstadt, eine Phase des Übergangs zur City.

Am Hopfensack, einer Straße, deren Name ebenfalls auf das seit dem 14. Jahrhundert bedeutende Brauereigewerbe zurückgeht, für das der Zugang zum Wasser unabdingbar war, steht noch ein Speicher aus der Zeit um 1800 (Nr. 26). Seine gegenüber den späteren Bauten zurückspringende Front verweist auf den Verlauf des ehemaligen Reichenstraßenfleets, das sich ursprünglich nach Westen in das Bäckerstraßenfleet (siehe S. 31) fortsetzte. Mit der Verbreiterung der Kleinen Reichenstraße als Verbindung zwischen Berliner Bahnhof (am heutigen Deichtormarkt) und der Börse wurde das Fleet zugeschüttet (1877–1883) und die Straße neu bebaut (1883). Die Lücke zwischen dem Kontorhaus Hopfenburg (1905) und dem Klinkerbau aus den 20er Jahren gegenüber erklärt sich aus dem 1945 aufgefüllten Hopfensackfleet, das eine Verbindung zwischen Reichenstraßen- und Brauerstraßen- bzw. Gröningerstraßenfleet im Süden herstellte.

Auf ein baugeschichtliches Juwel, das klassizistische Stadthaus Kleine Reichenstraße 7, mußte der Neue Dovenhof Rücksicht nehmen (1992–1994, Architekten: Kleffel/Köhnholdt/Gundermann), ein Bürogebäude, das die Maßstäblichkeit dieser vielschichtigen Straße völlig sprengt. Das kleine Wohnhaus steht auf einer typischen Binnendeichparzelle, die ursprünglich bis zum südlichen Brauerstraßen- /Gröningerstraßenfleet reichte, das nach dem Zweiten Weltkrieg u. a. für die Ost-West-Straße eingeebnet wurde. Entsprechend schlossen sich an das Vorderhaus ein Hofflügel und ein Speicher am Fleet an; beide hatten den Krieg überstanden: Den Speicher ließ die Stadt – zeitweilig Besitzerin des Grundstückes – im Zusammenhang mit dem U-Bahn-Bau niederlegen, der Hofflügel mußte dem Neuen Dovenhof weichen. Den 1838 – also vor dem Großen Brand – errichteten Putzbau zieren kolossale korinthische Pilaster und Fenstereinfassungen mit »Ohren«, die an das Jenischhaus in Klein-Flottbek erinnern. Das Erdgeschoß wurde Ende des 19. Jahrhunderts verändert.

Überraschend wirkt ein Blick ins Innere: Im Zentrum liegt ein zweigeschossiger Lichthof, teils galerieartig gesäumt von Pfeilern und Säulen, teils von Zimmerfenstern eingefaßt, die auf diese Weise zusätzliches Licht einfangen. Das klassizistische Formenrepertoire ist bis ins Detail durchgehalten: an Pfeilern, Säulen und Treppengeländern, aber auch an Türflügeln und -rahmen.

Der Domplatz nördlich der Kleinen Reichenstraße führt in die Anfänge Hamburgs zurück. Wo heute Autos parken, lag die Hammaburg, zwischen 810 und 832 als nordelbische Missionsstation des Fränkischen Reiches Karls des Großen gegründet. Erzbischof Ansgar ließ in dem Ringwall (Durchmesser 120 Meter) eine Kirche errichten. Auch nach dem Rückzug des

Erzbischofs nach Bremen behielt Hamburg eine Marienkirche als Dom, quasi eine erzbischöfliche Enklave mitten in Hamburg. Der 1248 als Backsteinbasilika errichtete Neubau ist später zu einer Halle erweitert und zusammen mit den Gebäuden des Domkapitels 1804 bis 1807 aus politischen Gründen abgebrochen worden. Auf dem Domgelände entstanden zwischen 1837 und 1840 die Gebäude des Akademischen Gymnasiums und der Gelehrtenschule Johanneum, die im Zweiten Weltkrieg zerstört wurden.

Im Keller des Hauses Kreuslerstr. 4 ist der einzige Rest dieser ältesten Bauschicht Hamburgs erhalten, ein ringförmiger Steinbau, der ins 11. Jahrhundert datiert wird. Wahrscheinlich handelt es sich um das Fundament jenes steinernen Turmes, der dem Erzbischof Bezelin Alebrand als Burg diente.

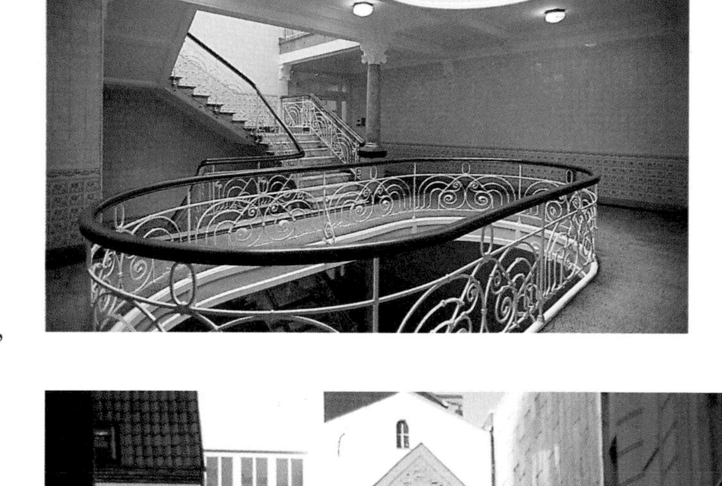

◀ Die letzten Reste Alt-Hamburgs an der Gröningerstraße (heute Ost-West-Straße 45 und 47), ein barockes Bürgerhaus und ein klassizistisches Etagenhaus aus der Zeit um 1850

The last traces of traditional Hamburg in Gröningerstrasse (now 45 and 47 Ost-West-Strasse), a patrician Baroque villa and a multi-storey house from around 1850 reflecting the Neo-Classical style

Gröningerstrasse, les derniers vestiges du Vieux Hambourg (aujourd'hui Ost-West-Strasse 45 et 47): une maison baroque et un immeuble de style néo-classique datant de 1850

▲ Das Asiahaus an der Ost-West-Straße überrascht mit einem der schönsten Jugendstil-lichthöfe.

»Asiahaus« in Ost-West Strasse with the unexpected beauty of its art nouveau sunlit inner courtyard.

La Maison de l'Asie, Ost-West-Strasse, surprend par sa lumineuse architecture, un beau témoin du Jugendstil.

▶ Der umgebaute Speicher am Hopfensack Nr. 26 aus der Zeit um 1800 markiert noch den Verlauf des ehemaligen Reichenstraßenfleetes.

The converted warehouse at 26 Hopfensack, constructed around 1800, marks the course of the old Reichenstrassen Canal.

L'entrepôt du N° 26 Hopfensack, construit vers 1800, se dressait au bord d'un canal, comblé depuis.

KAPITÄN PRÜSSE

Die Speicherstadt

Die Speicherstadt, das eindrucksvollste Baudenkmal Hamburgs, erreicht man am besten über die Kornhausbrücke, die den Besucher – seit 1903 – mit den Statuen von Vasco da Gama und Christoph Kolumbus empfängt. Dieser größte geschlossene Lagerhauskomplex der Welt entstand zwischen 1885 und 1913 (Block W erst 1927) im Zusammenhang mit dem Zollanschluß Hamburgs an das Deutsche Reich, der 1881 vereinbart und im Oktober 1888 mit der Einweihung der Speicherstadt vollzogen wurde. Bis dahin hatte Hamburg sein auch noch in der Reichsverfassung 1871 verbürgtes Sonderrecht als Freihafen und Zollausland aufrechterhalten, d. h., daß Waren im Stadtgebiet unverzollt gelagert und gekauft werden konnten. Für viele der neu entstehenden Industriebetriebe war diese Sonderstellung allerdings ungünstig. Sie suchten Standorte jenseits der Hamburger Zollgrenze in Barmbek, Ottensen oder Harburg, um ihre Lieferung ins Inland nicht durch Zölle zu verteuern.

Der Freihandelsstatus Hamburgs kollidierte mit der 1879 von der Reichsregierung unter Bismarck eingeleiteten Schutzzollpolitik. Unter dem Druck der Reichsregierung, die u. a. damit drohte, durch eine Zollgrenze auf der Unterelbe den ungehinderten Verkehr zu unterbinden, und gegen erhebliche Widerstände in Hamburg wurde 1881 der Zollanschluß vereinbart. Hamburg gab damit seine im gesamten Gebiet gültige Freihafenstellung auf und erhielt dafür einen verkleinerten Freihafenbezirk, in dem Waren weiterhin zollfrei gelagert werden konnten.

Auch die Frage, wo in dem neuen Freihafenbezirk die vielen Speicher für die zollfreie Lagerung errichtet werden sollten, führte zu heftigen Auseinandersetzungen. Man entschied sich für eine räumliche Nähe der Freihafenspeicher zur Stadt und opferte dafür den Kehrwieder, ein Arbeiterquartier mit Fachwerkhöfen, und den Wandrahm, ein altes Kaufmannsviertel mit Renaissance- und Barockhäusern (vgl. die entsprechenden Straßennamen). Der Abbruch dieser Stadtteile nahm insgesamt etwa 24 000 Menschen ihre Wohnungen und brachte Hamburg den Titel »Freie und Abriß-Stadt« ein (Alfred Lichtwark).

Der Bau der Speicherstadt hat den Prozeß der innerstädtischen Funktionstrennung ungeheuer beschleunigt. Zum ersten Mal wurde ein ganzer Stadtteil nur für eine Nutzung gebaut. Da viele Bewohner der Bürgerhäuser am Wandrahm bereits in komfortablere Stadthäuser umgezogen waren und ein großer Teil der alten Gebäude nur noch Kontore beherbergte, gab deren Abriß auch den Anstoß für neue Kontorgebäude in der Stadt. Das erste, der Dovenhof, mit seinen Mietkontoren der Prototyp Hamburger Kontorhäuser, entstand nach Entwürfen von Martin Haller 1885/86 unmittelbar gegenüber der Speicherstadt (siehe S. 35).

Mit ihren Treppengiebeln, Türmchen, Spitz- und Segmentbögen stehen die Backsteinbauten in der Tradition der in der Mitte des 19. Jahrhunderts gegründeten Hannoverschen Bauschule, aus der auch Oberingenieur Franz Andreas Meyer hervorging, der für die Gestaltung verantwortlich war. Die mittelalterliche Backsteingotik galt dieser Architekturschule als Vorbild für ihr Streben nach materialgerechter und zugleich zweckmäßiger Gestaltung.

Gelbe Ziegelbänder und goldene Schriftzüge (neuer Wandrahm Nr. 1–4), Glasurziegel (Brook Nr. 1–2) und Glassteine (in Augenhöhe: Brook Nr. 3) lassen die damals als einfach und solide verstandene Backsteinarchitektur heute wie ein »gigantisches Schatzkästlein« (K. Maak) erscheinen, hinter dem sich hanseatischer Wohlstand verbirgt.

Am Speicher Brook Nr. 3 lohnt ein Blick zum rückseitigen Fleet. Wie die alten Kaufmannshäuser in der Stadt, so sind auch die Freihafenlagerhäuser zur Straße und zum Wasser hin erschlossen. Bis zum Beginn des Containereinsatzes in den 60er Jahren kam ein Großteil der Waren (Tee, Kaffee, Kakao, Gewürze, Hülsenfrüchte, Nüsse und seit den 50er Jahren zunehmend auch Orientteppiche) als Stückgut auf Schuten an. Heute bringen Lastwagen die Ware in Containern vor die Luken, dort werden sie in der Regel per Hand entladen. Gabelstapler sind hier nur bedingt einsetzbar. Dies gilt als Zeichen für die Rückständigkeit der Speicherstadt und dient als Argument für Umnutzungspläne. Die Quartiersleute, Lagerspezialisten, welche die Speicher von der städtischen Eigentümerin, der Hamburgischen Hafen und Lagerhaus AG (HHLA), gemietet haben, führen dagegen die optimale Klimatisierung der Räumlichkeiten ins Feld, die keinerlei zusätzliche Heizung oder Kühlung erfordert – ein Kostenfaktor gerade für die hier übliche langfristige Lagerung.

Noch lagern in der Speicherstadt Waren aus aller Welt, man sieht und riecht es. Der 1988 vom sozialliberalen Senat geplante Verkauf der Speicherstadt und ihre Umnutzung zu einem Büro-, Kneipen- und Boutiquenviertel sind zwar nach heftigen Debatten in den Schubladen verschwunden, und der gesamte Komplex einschließlich der Brücken und Fleete ist inzwischen unter Denkmalschutz gestellt, aber ob sich die Quartiersleute hier halten können und wie die zukünftige Nutzung der Speicherstadt aussehen wird, ist ungewiß. Denn an der Kehrwiederspitze hat sich die Büro-City bereits ein Stück Freihafen erobert. Am Sandtorhafen, dem ehemaligen Stadtgraben und ersten »modernen« Hafenbecken (1866), hat die Stadt ca. 3,5 Hektar verkauft und aus dem Freihafenstatus entlassen. Eine Investorengruppe baut hier in vier Phasen an die 100 000 Quadratmeter Büroflächen. Für eine wünschenswerte Mischung von Büros und Wohnungen, Restaurants und Läden seien die von der Stadt geforderten Bodenpreise zu hoch gewesen – sagen nicht nur die Investoren. Der erste Bauabschnitt gegenüber dem in ein Bürohaus umgebauten Speicher K ist fast fertiggestellt (Architekten: Kohn / Petersen / Fox, London), der Komplex auf der eigentlichen Kehrwiederspitze wurde bereits begonnen (Architekten: Kleffel, Köhnholdt, Gundermann).

Im Umfeld der Straße bei St. Annen fallen zwei Gebäude besonders ins Auge. In dem mit Sandsteinverzierungen, Erkern und Türmchen geschmückten Gebäude am Sandtorkai 1 war bei der Eröffnung der Speicherstadt 1888 die Freihafen- und Lagerhausgesellschaft untergebracht. Die St.-Annen-Statue an der Ecke erinnert an die 1869 dort abgerissene St.-Annen-Kapelle. Mit den Erweiterungen der Speicherstadt nach Osten hin entstand auch ein neues Verwaltungsgebäude (1902 / 3, Architekten: Grotjan, Hanssen und Meerwein), das sich mit seinem Uhrturm, seinen Giebeln und Erkern in »altdeutschen« Neorenaissanceformen wie ein Rathaus präsentiert. Bemerkenswert ist die Speicherstadt schließlich auch als ein Stück Nachkriegsbaugeschichte. Obwohl 50 Prozent der Speicherböden im Krieg zerstört wurden, bietet sie ein relativ einheitliches Bild. Dies ist den städtischen Betreibern, aber auch dem für den Wiederaufbau verantwortlichen Architekten W. Kallmorgen zu verdanken. Wo die erhaltene Bausubstanz es erlaubte, wurde detailgetreu oder vereinfacht rekonstruiert, an anderer Stelle über alten Resten neu aufgebaut (Sandtorkai). Dort, wo Neubauten nötig waren, orientieren sie sich in Material, im Maßstab und in den Gliederungsprinzipien der Fassaden an dem Vorhandenen, verraten aber dennoch die Formensprache der Nachkriegsmoderne.

Über die Baugeschichte der Speicherstadt informieren Rundgänge des Museums der Arbeit, die auch den Besuch einer Ausstellung zur Arbeit der Quartiersleute in einem alten Speicher einschließen. Ganzjährig, jeden Sonntag um 11.00 Uhr, Treffpunkt: Kornhausbrücke.

◀ *18 Anstelle der alten Lastkähne nutzen heute vor allem Touristenbarkassen die Fleete. Das »Rathaus« der Speicherstadt, das Verwaltungsgebäude der Hamburgischen Hafen- und Lagerhaus Gesellschaft, entstand mit der Erweiterung der Speicherstadt nach Osten 1902/03.*

*Nowadays tourist boats have largely replaced the barges on the canals.
The main offices of the »Hamburger Hafen- und Lagerhaus Gesellschaft«, popularly known as the Speicherstadt's »City Hall«, was constructed during the eastward extension of the area in 1902/03.*

Aujourd'hui, les bateaux touristiques ont remplacé les chalands sur les canaux du centre-ville que l'on appelle »Fleete«. Le majestueux édifice où siège la HHLA (société de magasinage du port de Hambourg) fut érigé au moment de l'extension de la Cité des entrepôts vers l'Est, en 1902/03.

▼ *Die Ausstellung des Museums der Arbeit im Speicher St. Annenufer 2*

The Museum of Labour in the warehouse at 2 St. Annenufer

Salle d'exposition au musée du Travail, aménagé dans un entrepôt, St. Annenufer 2

▲ *Der Zollkanal bildet die Grenze zwischen Stadt und Hafen. Über die Kornhausbrücke links im Bild gelangt man zum »Speicherstadt-Rathaus«.*

The »Zollkanal« forms the boundary between the city centre and the port. The Kornhaus Bridge on the left leads to the Speicherstadt's »City Hall«.

Le Zollkanal (canal de la douane) forme la frontière entre la ville et le port. Le pont Kornhaus permet d'accéder à l'»Hôtel de ville de la Cité des entrepôts«.

▶ *Firmenschild mit goldener Inschrift auf schwarzem Grund – auch neuere Mieter halten sich an die Tradition.*

Company sign with golden inscription on a black background – even new tenants maintain old Hamburg traditions.

Inscriptions en lettres d'or sur fond noir – même les sociétés récemment installées dans les locaux respectent la tradition.

Die Alsterarkaden, die Kleine Alster und der angrenzende Rathausmarkt bilden seit dem Wiederaufbau nach dem Großen Brand von 1842 das unverwechselbare Zentrum Hamburgs.

The Alster Arcades, the Kleine Alster and the adjoining City Hall Square have formed the undisputed heart of Hamburg since the Great Fire of 1842.

Les arcades et la Petite Alster qui jouxtent la Place de l'Hôtel de Ville donnent un cachet incomparable au cœur de Hambourg depuis la reconstruction du centre-ville détruit par le grand incendie de 1842.

Der Wiederaufbau nach dem Großen Brand – oder: »Wie das Kunstwerk Hamburg entstand« (Fritz Schumacher)

Der Große Brand von 1842, abgesehen vom Zweiten Weltkrieg die größte Katastrophe für Hamburg, vernichtete ein Drittel der Stadt. Innerhalb von drei Tagen, vom 5. bis 8. Mai, wurden 1749 Häuser, 102 Speicher, die Kirchen St. Nikolai, St. Petri und die St.-Gertruden-Kapelle sowie das alte Zentrum der Handelsstadt mit dem Rathaus, der Bank und der alten Börse zerstört. 51 Menschen starben, an die 20 000 verloren ihre Wohnungen. Die Gründe für das Ausmaß der Katastrophe sind vielfältig: ein ungewöhnlich warmes, trockenes Frühjahr, ein kräftiger Südwestwind und knappes Löschwasser wegen Ebbe, mangelhaft koordinierte Löscheinsätze, Behinderungen durch Schaulustige und ein Senat, der dem Rat von Feuerwehrfachleuten, Schneisen zwischen die Häuser zu sprengen, aus Sorge vor Regreßforderungen nicht folgen wollte. Angesichts des unkontrollierbaren Flammenmeeres ordnete er dann doch die Sprengung des Rathauses an, doch ohne Erfolg: Das wirtschaftliche Zentrum fiel in Schutt und Asche. Lediglich ein Überspringen der Flammen zum Gänsemarkt konnte durch das Sprengen des Hotels »Streits« und des Wohnhauses des Bankiers Salomon Heine (anstelle des heutigen Heinehauses) verhindert werden. Am Morgen des 8. Mai drehte der Wind; kurz vor den Wallanlagen, an der später Brandsende genannten Straße, kamen die Flammen zum Stillstand. Nur ein Gebäude im alten Zentrum konnte gerettet werden: die ein Jahr zuvor fertiggestellte Neue Börse am Adolphsplatz.

Hamburg nutzte diese Katastrophe als Chance, die Stadt grundlegend zu modernisieren. Bereits am 17. 5. 1842 trat eine vom Senat berufene Kommission zusammen, der neben wichtigen Baubeamten der Stadt (Wimmel, Heinrich und Hübbe) auch die Privatarchitekten Chateauneuf, Klees-Wülbern, Ludolff, Reichardt und zeitweilig auch der Dresdner Architekturprofessor Gottfried Semper angehörten. Eine vom Senat eingesetzte Rats- und Bürgerdeputation hatte die Neubaufinanzierung und die Vorbereitung eines Enteignungsgesetzes zu regeln und in Zusammenarbeit mit der »Technischen Kommission« den Bebauungsplan festzusetzen. Als letzte Instanz entschieden dann Senat und Bürgerschaft darüber. Mit diesem dreistufigen Planungsverfahren leistete Hamburg einen Beitrag zum bürgerlichen Städtebau des 19. Jahrhunderts, der sich wesentlich unterscheidet von der Stadtplanung nach Art absolutistischer Landesfürsten.

Bereits drei Monate nach dem Brand hatte die »Technische Kommission« den endgültigen Wiederaufbauplan erarbeitet. Dieser sah tiefe Eingriffe in die alte Stadtstruktur vor: die Verbreiterung und Begradigung von Straßen, die Enteignung und Neuparzellierung der Grundstücke, eine moderne Trinkwasserversorgung mit einem Pumpwerk in Rothenburgsort, ein Sielsystem – das erste in einer deutschen Stadt –, Gasbeleuchtung in Häusern, Straßen und auf Plätzen (und im Zusammenhang damit die Errichtung einer Gasanstalt auf dem Grasbrook). Um eine schiffbare Verbindung zwischen Alster und Elbe zu schaffen, wurden die Mühlen am Reesendamm verlegt. Dadurch sank der Alsterspiegel – Kleine Alster, Binnen- und Außenalster lagen auf einem Niveau –, eine Schleuse (vgl. Schleusenbrücke) regulierte den Wasserstand für den Schiffsverkehr auf dem Alsterfleet. Die Senkung des Alsterspiegels durch die Verlagerung der Mühlen hatte wiederum Auswirkungen auf die äußeren Stadtteile, insbesondere auf die Uhlenhorst, die jetzt erschlossen werden konnte. Die Trockenlegung und Bebauung des Hammerbrook war ebenfalls vorgesehen, in der Praxis aber nur nach und nach durchführbar.

Während der Ausbau der modernen Infrastruktur auf den englischen Ingenieur William Lindley zurückgeht – und englische Stadthygiene dafür das Vorbild abgab –, trägt die städtebauliche Neugestaltung mit dem Zentrum Börse, Rathaus, Kleine Alster und Alsterarkaden vor allem die Handschrift des Architekten Alexis de Chateauneuf, auch wenn Ideen der Entwürfe von William Lindley und Gottfried Semper in die Planung eingegangen sind. Während Lindley auf dem kleinteiligen, unregelmäßigen mittelalterlichen Stadtgrundriß eine geometrisch starre, an Verkehrskonzepten orientierte Neuordnung vorschlug, antwortete Gottfried Semper mit einem Entwurf, der stark auf das alte Wegesystem, auf topographisch bedingte Unregelmäßigkeiten und örtliche Gegebenheiten Rücksicht nahm. Kernpunkte Sempers waren zwei Platzanlagen, der Hopfenmarkt und der Staatsbautenplatz, ein Ensemble von öffentlichen Gebäuden und Räumen vor der Börse als neues Zentrum der Stadt. Chateauneufs Plan kann als »eigenständige Synthese« (Evi Jung) beider Positionen betrachtet werden. Gänzlich neu war bei seiner Konzeption, die Staatsbauten und die Kleine Alster mit den – etwas später zugefügten – Alsterarkaden, also Wasser und Architektur, stadträumlich zu verbinden. Er prägte das bis heute unverwechselbare Gesicht der Stadtmitte, das bei zeitgenössischen Betrachtern und Hamburg-Kennern bis hin zu Fritz Schumacher die Erinnerung an den Markusplatz der Stadtrepublik Venedig wachrief. Die vielen Kanäle und Brücken, das bunte Treiben in der Hafenstadt hatten allerdings auch schon in früheren Beschreibungen immer wieder den Gedanken an Venedig aufkommen lassen.

Wo heute gleichmäßig parzellierte, helle Putzbauten und Arkaden das rechtwinklige Becken der Kleinen Alster säumen, standen vor dem Brand – am Voglerswall – die Fachwerkhäuser der Gerber und Färber, schmale, spitzgiebelige neben solchen mit breiten Mansarddächern. Schuppen, Stege und Vorsetzen verbanden die Gebäude mit dem Fleet der Kleinen Alster, das sich damals noch trichterförmig verengte. Der Wiederaufbauplan sah die Verlagerung dieser »verunreinigenden Gewerbe« aus der Stadt in Richtung Hammerbrook vor. Ihre Nähe zum vornehmen Jungfernstieg war ohnehin schon längere Zeit als störend angesehen worden. Zahlreiche Petitionen von betroffenen Gewerbetreibenden zeugen vom Widerstand gegen diese Neubaupläne.

Die Gerber und Färber waren nicht die einzigen, die durch den Wiederaufbau aus der inneren Stadt verdrängt wurden. Insbesondere in dem Gebiet um die Jakobi- und die Petrikirche ging der Neuzuschnitt der Grundstücke für komfortable Stadt- und Etagenhäuser zu Lasten kleiner Gewerbetreibender: Für ihre Fachwerkgiebelhäuser mit Hofflügeln und Gängen war kein Platz mehr. Wer die Mieten in den Neubauten nicht bezahlen konnte, hatte die Wahl, entweder in einer der für die Dauer von 25 Jahren errichteten Notwohnungen »vor den Toren« oder in den vom Brand verschonten Gebieten der Alt- und Neustadt sowie der Vorstädte unterzukommen. Der Bevölkerungszuwachs in den beiden Vorstädten St. Georg und St. Pauli läßt vermuten, daß ein erheblicher Teil der Brandopfer dahin abgewandert ist.

Wie stark diese Stadtmodernisierung auf die Menschen damals gewirkt haben mag, lassen Aufzeichnungen des in Tirol lebenden Malers Friedrich Wasmann nach einem Besuch in seiner Heimatstadt erahnen. Er sieht das »alte Hamburg zu Grabe gegangen . . .« »Statt der soliden Patrizier- und Kaufmannshäuser, im Inneren mit geräumigen, auf Säulen ruhenden Vorplätzen und Gesellschaftssälen und all den gemütlichen Zimmern, Kammern und Winkeln, die manches Jahrhundert über sich hatten gehen sehen, erhob sich ein zum Teil prächtiger Neubau mit platten, arabischen Dächern, in allen möglichen Stilarten und in einer Geschwindigkeit, als wüchse er aus dem Boden hervor. Statt der gutgebauten, für eine Familie berechneten Bürgerhäuser entstanden gradlinige Straßen mit kasernenartigen, Stockwerk über Stockwerk aufgetürmten Häuservierecken, in denen statt Familien Menschengruppen, übereinandergeschichtet und einander fremd wohnten.« Damit spielte der Autor auf die damals neue Form bürgerlichen Wohnens auf der Etage an, die für die unteren Schichten in den Buden, Sälen und Gängen allerdings schon längst selbstverständlich war.

Am vollständigsten überliefert ist das Bild der »Nachbrand-Stadt« durch den Lithographen Charles Fuchs, der 1846/47 ein Werk mit dem Titel »Hamburgs Neubau – Sammlung sämmtlicher Fassaden der Gebäude an den neu erbauten Straßen« herausgab (das Buch ist 1985 als Reprint erschienen).

Von den baulichen Zeugnissen dieser Phase der Stadtentwicklung sind lediglich noch knapp zwei Dutzend übriggeblieben. Die moderne Infrastruktur machte diesen Teil der Stadt für das Geschäftsleben besonders attraktiv. So konnten sich gerade hier lukrativere Kontorhäuser gegenüber der »Nachbrand«-Wohnbebauung durchsetzen – ein Prozeß, der sich bis in die Gegenwart fortsetzt.

Die Suche nach der »Nachbrand-Architektur« führt folglich quer durch das Zentrum. Man beginnt am besten in der nördlichen Deichstraße, wo das Ensemble Nr. 19 bis 25 sowie Nr. 32 und 36 ein Bild von den neuen Wohnformen im Stadthaus (Nr. 19) und auf der »Etage« (Nr. 32) vermittelt und zugleich einen Eindruck gibt vom stilistischen Spektrum des Wiederaufbaues, das neben Fassaden mit klassizistischem Formenrepertoire immer wieder neue Varianten des Romantischen Historismus aufweist (siehe S. 10). Diese Abwechslung im Straßenbild durch individuell

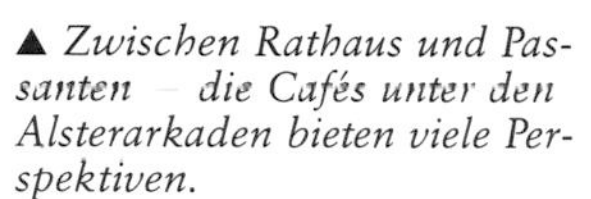

▲ *Zwischen Rathaus und Passanten – die Cafés unter den Alsterarkaden bieten viele Perspektiven.*

Sit down in the Alster Arcades and look out at the City Hall or simply watch the world go by.

Entre Hôtel de ville et passants: les cafés des arcades de l'Alster offrent d'intéressantes perspectives.

◀ *Vor dem Brand säumten die Giebelhäuser der Gerber und Färber mit ihren Schuppen und Stegen die Kleine Alster.*

Once, before the Great Fire, the tanners' and dyers' gabled houses with their huts and landing-stages lined the banks of the Kleine Alster.

Avant l'incendie, la Petite Alster était bordée par les maisons à pignons des tanneurs et des teinturiers, avec leurs pontons et appentis.

gestaltete Häuserfronten, die am besten im Werk von Charles Fuchs zu studieren ist, wird als charakteristisches Element der bürgerlichen Freiheit und der Stadtrepublik interpretiert, im Unterschied zu großen einheitlichen Blöcken absolutistisch geprägten Ursprungs, wie wir sie beispielsweise in der Ludwig- und Maximilianstraße in München vorfinden.

Am Großen Burstah hatten Ende der 1970er Jahre noch drei Etagenhäuser gestanden. Nur Nr. 44, ein relativ schlichter Putzbau mit Stichbogenfenstern, hat überlebt. Das Erd- und erste Obergeschoß sind verändert. Das Haus Mönckedamm Nr. 15 gehört mit seinen fünf Fensterachsen und sechs Geschossen zu den größeren Wohngebäuden des Wiederaufbaues. Im zweiten Obergeschoß betonen Gußeisengitter die detailreich dekorierten Stichbogenfenster der Beletage.

Auch in den Großen Bleichen erinnern noch einige Bauten an die Nachbrandzeit. Das Haus Nr. 5 ist in den 1980er Jahren abgebrochen und – um ein modernes Stockwerk erhöht – in Anlehnung an die alte Fassade neu errichtet worden. Hinter dieser verbergen sich heute Büros, die frühere Wohnnutzung ist durch die Balkons angedeutet. Der Putzbau gegenüber (Nr. 10) wirkt im Vergleich zu dem Eckgebäude Große Bleichen 1 / Jungfernstieg 25 eher schlicht. Letzteres, das einzige erhaltene Haus des Wiederaufbaues am Jungfernstieg, ist ebenfalls später aufgestockt und innen völlig umgebaut worden. Doch die Fassade mit ihren Rundbogenfenstern in rechteckigen Rahmen mit klassizistischen Details ist erhalten geblieben. Zusammen mit dem schon außerhalb des Brandgebietes gelegenen Wohnhaus Gänsemarkt Nr. 13 vermittelt die Front einen Eindruck von der gestalterischen Vielfalt bei der im Romantischen Historismus besonders beliebten Verwendung des Rundbogens (sog. Rundbogenstil). Das vom Abbruch bedrohte Gebäude am Gänsemarkt stellt eine reich ornamentierte, mittelalterliche und orientalisierende Elemente verbindende Variante dar, die es nur noch ein zweites Mal, Deichstraße 19, gibt.

Auch wenn er keine Spuren im Stadtbild hinterlassen hat, so muß er doch erwähnt werden: Sillems Bazar, der aufwendigste und berühmteste Komplex des Wiederaufbaus, eine Passage, wie man sie bis dahin nur von London oder Paris kannte. Der nach dem Gründer benannte »Bazar am Jungfernstiege, Eingang unter Hotel de Russie, ist ein Prachtbau, ein glasüberdachter Durchgang, wie ihn die Pariser Passagen nicht schöner aufzuweisen haben . . .« Das von R. Geissler in seinem Hamburg-Führer von 1861 gepriesene Bauwerk hatte nicht lange Bestand. Bereits 1850, fünf Jahre nach seiner Fertigstellung, wurde es verkauft, 1880 abgebrochen und an dessen Stelle – zwei Jahre später – das Luxushotel »Hamburger Hof« gesetzt (Architekten: Hanssen und Meerwein). Der pompöse Neorenaissancebau in rotem Sandstein beherbergt heute wieder eine Ladenpassage.

Die einzige erhaltene Galerie aus der Zeit des Wiederaufbaus blieb jahrzehntelang unbeachtet: Die Mellin-Passage zwischen Neuem Wall und Alsterarkaden. Erst der Brand in der Silvesternacht 1989 bot den akuten Anlaß, mit dem Arkadenensemble auch diese älteste erhaltene Passage Hamburgs soweit wie möglich zu sichern bzw. zu rekonstruieren.

Bei der Untersuchung der Überreste machten die Denkmalpfleger einen überraschenden Fund: die 20 Meter lange Wanddekoration, eine Jugendstilhinterglasmalerei mit Engelsköpfen und der Aufschrift »Mellin«, die den Brand unter dicken Farbschichten überdauert hat. Bei der Wiederherstellung der Alsterarkaden hat man auch die Häuser Neuer Wall Nr. 11 und 13 erneu-

Mellin-Passage, ein Stück Hamburger Geschäftswelt

Wer traditionsreiche Hamburger Geschäfte kennenlernen will, ist hier am richtigen Ort. Neben dem Herrenausstatter Peter Wilkens und dem Spezialgeschäft für Maßkonfektion Heinrich Franck ist vor allem das Unternehmen Ladage & Oelke bekannt, das 1845 als Tuchhandel begann und 1900 eine Maßschneiderei an der Ecke Alsterarkaden/Neuer Wall eröffnete. Die Buchhandlung Felix Jud, 1926 in den Colonnaden gegründet und während des Dritten Reiches ein Ort des hiesigen Widerstandes, zog 1956 zum Neuen Wall. Seit dem Tod von Felix Jud 1985 ist Wilfried Weber Inhaber. Er erweiterte das Sortiment um den Bereich Kunst und Bibliophiles Antiquariat. Die Buchhandlung versteht sich unverändert als eine Stätte kulturellen Lebens in Hamburg.

◀ *Sillems Bazar, eine Prachtpassage nach Pariser Vorbild, gehörte zu den berühmtesten Bauten der Nachbrand-Stadt. Er wurde 1880 für den Neubau des Luxushotels Hamburger Hof abgerissen.*

Sillem's Bazaar, an opulent arcade in the Parisian style, was one of the most famous constructions in Hamburg after the fire. It was demolished in 1880 to make way for the Hamburger Hof Hotel.

Le »Sillem Bazar«, luxueuse galerie marchande, fut l'une des réalisations les plus prestigieuses du Hambourg d'après 1842. Il céda la place en 1880 à un hôtel de luxe: le Hamburger Hof.

▲ *Die Jugendstil-Wanddekorationen wurden bei der Restaurierung nach dem Brand 1989 entdeckt.*

This rich art nouveau ornamentation was discovered during restoration work after the fire of 1989.

Les décorations murales Jugendstil furent mises à jour lors de la restauration qui suivit un incendie survenu en 1989.

▶ *Die Mellinpassage in den Alsterarkaden ist heute die älteste Passage Hamburgs.*

The Mellin Arcade near the Alster Canal is currently the oldest arcade in Hamburg.

Le Passage Mellin, qui débouche sur les arcades de l'Alster, est aujourd'hui la plus ancienne galerie marchande de Hambourg.

ert, der schlicht-klassizistische Putzbau Nr. 7 blieb dabei unberücksichtigt.

Von den ursprünglich neun Wohnhäusern hinter den Arkaden sind heute nur noch fünf erhalten bzw. nach dem Brand von 1989 rekonstruiert. Sie gehen, wie die Alsterarkaden selbst, auf Entwürfe von Alexis de Chateauneuf zurück und gleichen einander in Grundform und Maßstab, im Detail aber unterscheiden sie sich: Die freiheitliche und individuelle Gestaltung hat sich auch hier gegen den ursprünglichen Plan eines einheitlichen Fassadenrisses durchgesetzt. Lediglich das von C. F. Reichardt geplante »Hotel Petersburg« an der Ecke Jungfernstieg, das an italienische Palastbauten erinnerte, setzte sich von den Wohnhäusern ab. Das galt auch für die Arkaden davor, deren Säulenstützen von den Pfeilern Chateauneufs abwichen.

Die renditeträchtige Büronutzung machte auch vor dem Herzstück Hamburgs nicht halt: Nach dem Umbau der südlichen Arkadenhäuser an der Poststraße in ein Kontorhaus mit barockisierender Fassade (1896) durfte der Kaufmann Neidlinger 1903 das »Hotel Petersburg« abbrechen und ein höheres neubarockes Geschäftsgebäude errichten. Die Arkaden erhielten bei dieser Gelegenheit Granitsäulen und ein Obergeschoß. Erst nach dem Krieg, im Zusammenhang mit der Binnenalster- und Rathausmarktverordnung von 1951, wurden die Alsterarkaden vereinheitlicht (wie sie es nie waren) und das Neidlingerhaus vereinfacht, um ein möglichst geschlossenes Bild herzustellen.

Die »Alte Post« (Poststr. 11), 1845 bis 1847 nach Entwürfen von Alexis de Chateauneuf erbaut, stellt als frühes Beispiel des Backsteinbaus mit Sandsteingliederung eine weitere Variante des Rundbogenstils des Romantischen Historismus dar: Sie erinnert an italienische Paläste und Rathäuser der Frührenaissance, doch auch Formen der deutschen Gotik zieren den Bau. Zugleich steht sie für ein Stück moderner Infrastruktur: Hier wurden zum ersten Mal die vier in Hamburg tätigen Postanstalten, die Kgl. Schwedische, die Kgl. Hannoversche, die Thurn und Taxissche und die Hamburgische Post, die bisher an unterschiedlichen Orten ansässig waren, räumlich zusammengefaßt und auf diese Weise die Kommunikationsmöglichkeiten verbessert. Die Wappen und Embleme der vier Postanstalten sind bis heute an den Portalen zu entdecken. Der städtebaulich wirksam plazierte Turm, der mit seinen gotisierenden Fenstern besonders altertümlich wirkt, war der modernste Teil des Gebäudes. Von ihm aus sandte ein Zeigertelegraph über eine Kette von Zwischenstationen

▲ *Die Alte Post mit dem Turm für einen Zeigertelegraphen: ein Stück moderner Infrastruktur im historistischen Gewand des Wiederaufbaus nach 1842*

The »Old Post Office« with its optical telegraph tower: modern urban infrastructure in a building dating from the post-fire reconstruction years

L'Ancienne Poste et la tour du télégraphe: intégration d'un élément d'infrastructure moderne dans un décor ancien lors de la reconstruction de la ville après 1842

▶ *Auch an den neueren Geschäftshäusern zwischen Neuem Wall und Alsterfleet ist die Parzellenstruktur der Nachbrand-Stadt noch ablesbar.*

The »patchwork structure« of the modern city can still be seen in recently constructed business premises between Neuer Wall and the Alster Canal.

Le quartier commerçant actuel qui s'étend entre Neuer Wall et Alsterfleet révèle encore la structure parcellaire caractéristique de la ville après sa reconstruction.

MDCCCXLVI

◀ *Der Backsteinbau der Patriotischen Gesellschaft an der Trostbrücke und das weißverputzte Etagenhaus an der Großen Bäckerstraße gegenüber zeugen von der Architekturdebatte in der Zeit des Wiederaufbaus nach dem Großen Brand.*

The Patriotische Gesellschaft's brick headquarters at the Trostbrücke and the white plaster façade of a multi-storey house in Grosse Bäckerstrasse reflect two differing schools of architecture from after the fire.

Le bâtiment de la »Société Patriotique«, construit en brique à côté du »Trostbrücke«, et l'immeuble en crépi blanc de la Grosse Bäckerstrasse qui lui fait face témoignent des controverses que souleva l'architecture lors de la reconstruction suivant le grand incendie.

Botschaften bis nach Cuxhaven – die Signale waren an der Stellung der Zeiger zu entziffern.

Die »Alte Post« verlor 1887 mit dem Bau des Postgebäudes am Stephansplatz ihre Funktion; danach diente sie der städtischen Verwaltung. Die Ladenpassage im Inneren, die Rücksicht nimmt auf die historische Fassade, ist ein früher Versuch (1968–1971), wirtschaftliche Interessen mit der Bewahrung alter Bausubstanz zu verbinden.

Bis zum Bau des Rathauses (1886–1897) bildete die Börse am Adolphsplatz, die vor dem Feuer gerettet werden konnte, das Zentrum des Staatsbautenplatzes. Der auf die städtischen Baubeamten Wimmel und Forsmann zurückgehende Kernbau (1839–1841) ist mehrmals erweitert worden. Der älteste, mit klassizistischen Friesen gegliederte Saal liegt in der Mitte; ein zweiter, ebenfalls in klassizistischer Tradition, schließt sich seit 1856 an der Ostseite an. 1880 bis 1884 kam ein dritter Saal im Westen dazu, die triumphbogenartige Vorhalle stammt aus den Jahren 1892 bis 1894. An Börsentagen werden nach vorheriger Anmeldung Führungen angeboten (Informationen unter Telefon: 040/36 13-02 18).

An der Trostbrücke, wo das alte Rathaus stand, durfte die »Patriotische Gesellschaft von 1765« ihr Gebäude errichten. Das kam nicht von ungefähr, denn diese aufklärerische »Hamburgische Gesellschaft zur Beförderung der Künste und nützlichen Gewerbe« hatte sich seit ihrer Gründung für öffentliche Belange eingesetzt (und führt dies bis heute fort).

Das Haus der Patriotischen Gesellschaft war für Versammlungsräume sowie für Klassen der von der Gesellschaft unterhaltenen Gewerbeschule und eine umfangreiche gewerblich-technische Bibliothek gedacht. Dem Anliegen dieser Institution entsprechend, sollte der Bau ein Vorbild für Architektur und Bautechnik werden. Deshalb veranstaltete sie einen Wettbewerb mit der Vorgabe, »die Facaden ohne Putz und Bewurf auszuführen«. Realisiert wurde 1844 bis 1847 der Entwurf von Theodor Bülau: ein neugotischer Backsteinrohbau, der damals für Materialechtheit und konstruktive Wahrheit stand – ganz im Gegensatz zum Putzbau, den die Patrioten als eine »krankhafte Verirrung« ansahen. Das Gebäude wurde 1923/24 expressionistisch aufgestockt, im Zweiten Weltkrieg zerstört und zum Teil vereinfacht wiederaufgebaut. 1848 tagte hier die »Constituante«, die Verfassungsgebende Versammlung der Bürgerschaft. Doch erst 1859 bekam Hamburg ein gewähltes Parlament. Dieses trat bis zur Fertigstellung des Rathauses 1897 im Haus der Patrioten zusammen.

Zwei dieser in Mißkredit geratenen Putzbauten finden sich gleich gegenüber in der Großen Bäckerstraße. Sie verläuft parallel zum ehemaligen Bäckerstraßenfleet, das noch durch die Baulücke zwischen den Häusern Börsenbrücke 3 und Große Bäckerstraße 2 markiert wird. Während Nr. 2 eine zeittypische Mischung von klassizistischen und romantisch-historistischen Stilelementen aufweist (um 1845), handelt es sich bei Nr. 10 um einen schlichten Putzbau, dessen Besonderheit erst die rückwärtige Fleetseite verrät. Hinter der Putzfassade steckt ein Fachwerkbau mit stark vorkragenden Stockwerken, der vermutlich noch aus der Zeit um 1700 stammt, offensichtlich vom Brand verschont geblieben ist und somit zu den ältesten Gebäuden in der Altstadt gehört.

An der Schauenburger Straße 32 ist eines der Amtshäuser der Handwerkerzünfte, das der Schlosser,

erhalten geblieben. Der Fassadenaufbau unterscheidet sich vom Schema der Wohnhäuser. Hinter dem dreibogigen Fenster im dritten Obergeschoß lag der Zunftsaal. Bereits in den 20er Jahren ist es im Innern zu einem Geschäftshaus umgebaut worden.

Das letzte Zeugnis des Wiederaufbaus am Ballindamm, der Sitz des Bankhauses Marcard, Stein & Co., macht durch seine Kleinmaßstäblichkeit besonders anschaulich, wie stark sich mit den dort vorherrschenden Kontorneubauten der Jahrhundertwende die »Körnung des Stadtbildes« (H. Hipp) verändert hat. Dieser Eindruck wird auch durch die Aufstockung von 1986/87 nicht gestört, denn sie tritt räumlich und farblich gegenüber dem hellen Putzbau zurück. Neben den Gebäuden Ferdinandstraße 28/30 und Hermannstraße 3 sind vor allem die beiden Häuser Ferdinandstraße 63 und 65 von Interesse. Ersteres, ein Putzbau mit Rundbogenfenstern, ist das einzige erhaltene Wohnhaus von Alexis de Chateauneuf. Der neugotische Backsteinrohbau mit Staffelgiebel und den Sandsteinfiguren der Stadtgründer – Karl der Große und Bischof Ansgar – stammt von Theodor Bülau und ist ebenfalls das einzige Wohnhaus des Architekten, das überdauert hat. In dem Nebeneinander der beiden Bauten sind gleichsam exemplarisch die konkurrierenden Bauweisen der Zeit zwischen 1840 und 1850 aufgehoben. Sie zeugen von der Diskussion um die Stilfrage, die sich auch in der damaligen Fachpresse widerspiegelt. Bekannt geworden ist vor allem die 1828 erschienene Schrift des Karlsruher Architekten Heinrich Hübsch mit dem Titel: »In welchem Style sollen wir bauen?«.

Theodor Bülaus »rohe« Backsteinbauten, die, wie er sagte, an die »altdeutsche christliche Bauweise« anknüpften, fanden damals bei privaten Bauherren wenig Anklang. Erst aus späterer Sicht wurde seine Bedeutung für die Wiederentdeckung des Backsteins erkennbar. Fritz Schumacher, der Hamburg zu Beginn des 20. Jahrhunderts zur Backsteinstadt werden ließ, hat ihn entsprechend gewürdigt.

Zur Bandbreite der Architektur aus der Zeit des Wiederaufbaus gehören schließlich auch die schlichten Mietshäuser in der etwas abseits gelegenen Lilienstraße, von denen nach Abbrüchen in jüngster Zeit nur noch Nr. 2 bis 6 und Nr. 8 erhalten sind.

Unser letztes Beispiel dieser Phase Hamburger Baugeschichte, die Niemitz-Apotheke, zählt zu den Prachtstücken des Romantischen Historismus (1846–1848). Ursprünglich bildete sie den rückwärtigen Abschluß des nach dem Brand angelegten Georgsplatzes.

Die im 13. und 14. Jahrhundert ausgebaute gotische Hallenkirche St. Nikolai, die nördlich des Hopfenmarktes stand, brannte 1842 völlig aus. Den für den Wiederaufbau ausgeschriebenen Wettbewerb hatte Gottfried Semper mit einem Zentralbau im Rundbogenstil gewonnen, den er sich als modernen protestantischen Predigtkirchenbau vorstellte. Umgesetzt wurde aber (1846–1874) der Entwurf des Engländers George Gilbert Scott, eine neugotische Kathedrale. Diese Entscheidung fiel unter dem Eindruck der Wiederaufnahme des Kölner Dombaus seit 1842, der als Symbol christlich-nationaler Erneuerung des Deutschtums galt. Ein romanisch-mittelalterlicher Bau entsprach eher der kirchlichen Orientierung von St. Nikolai: »Diese Hauptkirche war – im scharfen Gegensatz zu St. Petri – die Hochburg der Hamburger Erweckungsbewegung, die an die Stelle des herrschenden lutherischen Rationalismus wieder fromme Empfindung und Wortgläubigkeit, aber auch direktes soziales Engagement setzen wollte« (H. Hipp).

Nach der Zerstörung im Zweiten Weltkrieg entschloß man sich zu einem Neubau in Eppendorf, denn die Kirche hatte durch die Citybildung auch ihre Gemeinde verloren. Die Ruine von St. Nikolai ist heute ein Mahnmal für die Opfer von Krieg und Gewalt des Dritten Reiches. In diesem Sinne ist auch die Schwarzweißfassung des Mosaiks »Ecce homines« von Oskar Kokoschka zu betrachten (seit 1978 im Turm). Die Kellergewölbe sind zur Finanzierung der Baukosten vermietet worden.

Die älteste unter den Pfarrkirchen der Innenstadt, St. Petri, wurde 1195 erstmals erwähnt. Zu ihrem Kirchspiel gehörten vor allem die Händler und Handwerker, die sich westlich der Hammaburg niedergelassen hatten. In der ersten Hälfte des 14. Jahrhunderts wurde sie als gotische Hallenkirche neu errichtet und im 15. Jahrhundert um ein zweites südliches Seitenschiff samt Kapellen erweitert. Der Neubau nach dem Großen Brand (1844–1849) basierte auf der Form der mittelalterlichen Hallenkirche. Zugleich aber sollte ein moderner protestantischer Kirchenbau entstehen. Deshalb haben die Architekten des Wiederaufbaus, Alexis de Chateauneuf und Hermann Peter Fersenfeldt, das Innere neu geordnet: die Südschiffe zusammengefaßt und den Innenraum im Sinne einer Predigtkirche mehr zur Kanzel orientiert. Der Turmhelm wurde erst zwischen 1866 und 1878 nach einem Entwurf von Johann Hermann Maack ergänzt. Im Zweiten Weltkrieg erlitt nur der Chor Schaden.

◀ *Hinter der Putzfassade Bäckerstraße 10 verbirgt sich ein Fachwerkhaus aus der Zeit um 1700, das den Großen Brand überstanden hat. Es wurde kürzlich restauriert, seine Rückseite ist am ehemaligen Bäckerstraßenfleet zu sehen.*

The plaster facade at 10 Bäckerstrasse conceals a half-timbered and recently restored house from around 1700, a survivor of the Great Fire. Its rear can be seen at the former Bäckerstrasse Canal.

Derrière la façade crépie du N° 10 de la Bäckerstrasse se cache une maison à colombages datant de 1700 qui a survécu au grand incendie et a été restaurée récemment.

◀ *Das Treppenhaus des Dovenhofes*

The staircase in the Dovenhof

La cage d'escalier du »Dovenhof«

▲ *Der Dovenhof, das erste Hamburger Kontorhaus kurz vor dem Abriß 1967*

The Dovenhof, the first of Hamburg's «counting-houses», shortly before its demolition

Le «Dovenhof», premier comptoir hambourgeois, peu de temps avant sa démolition en 1967

Kontorhäuser – eine hamburgische Besonderheit

Seit dem späten 19. Jahrhundert manifestiert sich der Prozeß der Citybildung, der Umwandlung von der Wohn- und Handels- zur reinen Geschäftsstadt durch einen neuen Gebäudetyp, das Kontorhaus. In kürzester Zeit, fast boomartig, veränderte sich das Gesicht des Zentrums. Während die Geschäftshäuser in der östlichen Altstadt, in der Mönckebergstraße und im sogenannten Kontorhausviertel aufgrund staatlicher Sanierungsmaßnahmen entstanden, vollzog sich der Umwandlungsprozeß zur City in den ehemaligen Kaufmannsvierteln der südlichen Altstadt und im Gebiet des Wiederaufbaus nach dem Großen Brand von 1842 quasi »naturwüchsig«. Hier bestimmen die fast ausschließlich vor dem Ersten Weltkrieg errichteten Kontorhäuser bis heute das Stadtbild. Auf sie konzentriert sich der folgende Rundgang.

Schon in den 1860er Jahren, nach der Aufhebung der Torsperre, hatten es wohlhabendere Familien vorgezogen, draußen im Grünen zu wohnen. Die alten Kaufmannshäuser dienten deshalb zum großen Teil nur noch Kontor- und Lagerzwecken. Für den Bau der Speicherstadt mußten viele dieser umgenutzten Bürgerhäuser abgerissen werden, so daß eine steigende Nachfrage nach Kontoren in der Nähe des Freihafens zu erwarten war.

Vor diesem Hintergrund plante der findige Heinrich von Ohlendorff den Bau des ersten Kontorhauses. Nach dem Vorbild Londoner Geschäftshäuser ließ er 1885/86 gegenüber der Speicherstadt, an der Brandstwiete, vom Nobelarchitekten Martin Haller den Dovenhof errichten: ein Mietkontorhaus, das mit frei einteilbaren Flächen auf die für Hamburg typischen kleinen Export- und Importfirmen zielte und mit modernster Haustechnik, mit Zentralheizung, einer elektrischen Energiezentrale und einem Paternoster ausgestattet war. Der Paternoster – der erste auf dem Kontinent – machte die oberen Geschosse ebenso vermietbar wie die unteren und sparte zudem noch Aufzugspersonal.

Zugleich kam der palastähnliche Neorenaissancebau mit seinem großzügigen Treppenhaus und Lichthof auch den Repräsentationsbedürfnissen der Firmen entgegen. Der Dovenhof galt als Prototyp des hamburgischen Kontorhauses und wurde 1967 zugunsten des »Spiegel«-Hochhauses abgerissen.

Nach zögernden Anfängen in den 1880/90er Jahren, für die noch gemischt genutzte Kontorhäuser mit Wohnetagen wie das Ensemble am Zippelhaus Nr. 1–4 charakteristisch sind, entstanden allein bis zur Jahrhundertwende an die 100 Kontorneubauten.

Wenn in zeitgenössischen Veröffentlichungen vom Ausmaß und der Geschwindigkeit dieses Stadtumbaus die Rede ist, werden die neuen Kontorhäuser ihrer Zweckmäßigkeit wegen in die Tradition der Kaufmannshäuser gestellt, als hamburgische Kultur in »besonders brauchbarer und moderner Eigenart« (Melhop) gepriesen. Damit ließ sich die faktische Zerstörung alter Bürgerhäuser zugunsten der Kontorneubauten zu einer Art Traditionspflege umdefinieren.

Mit dem neuen Gebäudetyp verbreiteten sich auch moderne Bautechniken, die dem Wunsch nach flexibler Inneneinteilung mehr entsprachen als der traditionelle Mauerwerksbau, der eine Festlegung der Raumgrößen schon bei Baubeginn erzwang. Die im Speicherbau bereits bewährten Stützen und Unterzüge aus Eisen mit dazwischengespannten Decken wurden nach und nach auf den Kontorbau übertragen. Eine völlig neue Konstruktionstechnik, der Eisenbetonbau, begann sich in den 1890er Jahren durchzusetzen und führte zum Eisenbetonskelett, einem System von Stützen, Unterzügen und Decken aus einem Guß. Nach der Jahrhundertwende wurde diese Technik für den Kontorhausbau verbindlich, wobei man versuchte, möglichst alle tragenden Funktionen auf die Außenwände und die Treppenhäuser zu konzentrieren, um so ein Maximum an frei einteilbarer Fläche zu gewinnen. Die Pfeilerabstände waren nach dem Raumbedarf der Arbeitsplätze bemessen, für ein einfaches bzw. für ein doppeltes Pult ausgelegt, wobei eine gleichmäßige Reihung der Stützen im Abstand eines Pultes die größte Flexibilität gewährte. Dieses Gliederungsprinzip setzte sich um 1910 durch.

Die Skelettbauweise mit den großen Fensteröffnungen und den relativ dünnen Pfeilerquerschnitten stellte die Architekten vor neue Probleme der Fassadengestaltung. Amerikanische Geschäftshäuser boten dafür Lösungen an, die Einteilung der Pfeilerstruktur in Anlehnung an tradierte ästhetische Konventionen: in einen Sockelbereich (oft mit Läden), einen mehrere Geschosse – in der Regel bogenförmig – zusammenfassenden Mittelteil und eine »leichte«, fries- oder attikaartige Dachzone. Dieses Gestaltungsschema wurde für den Kontorhausbau prägend und mit unterschiedlichsten Materialien und in jeweils zeittypischen Stilrichtungen umgesetzt. Die Vielfalt der Verkleidungen sowie der formalen Lösungen macht den besonderen Reiz der Kontorhausarchitektur aus.

Die in einem solchen Großkontorhaus ansässigen Firmen konnten nicht nur über modernste – weil zentralisierte – Haustechnik verfügen, sie hatten auch eine gemeinsame »Visitenkarte«: die Eingangshalle und das Treppenhaus. Einige davon sind noch im ursprünglichen Zustand erhalten bzw. sehr sorgfältig restauriert und zu den normalen Geschäftszeiten zugänglich.

Der folgende Rundgang stellt nur einige dieser Kontorhäuser vor und möchte dazu anregen, sich selbst nach weiteren auf die Suche zu machen. Auf die Übergangsformen am Zippelhaus und in der Kleinen Reichenstraße sowie am Asiahaus wurde schon eingegangen (siehe S. 15).

Ein reines Kontorhaus in Skelettbauweise ist das Afrikahaus der Reederei Woermann, Große Reichenstraße 27 (1899, Architekten: M. Haller und H. Geißler). An den berühmten und berüchtigten Afrikahandel dieser Firma erinnern die Figuren eines Togo-Negers sowie zweier lebensgroßer Elefanten, die – den Eingang des Hinterhauses flankierend – aus dem Urwalddickicht hervortreten, das darüber in einem teilzerstörten Wandbild dargestellt ist. Der Sockel ist mit Granit, die Mittelzone sowie die Attika mit glasierten Verblenderziegeln und grünblauen Schmucksteinen verkleidet.

Ein frühes Beispiel und noch ein Mauerwerksbau mit Formen der deutschen Renaissance, der in seinem Äußeren kaum von einem Mietshaus zu unterscheiden ist, steht Börsenbrücke 5/7 (1895, Architekt: G. Radel).

Die Alte Bankhalle am Neß 1, die derselbe Architekt wenige Jahre später entworfen hat (1903), sieht ganz anders aus: Das Pfeilergerüst ist mit Sandstein verkleidet, zur Mitte hin gestuft und mit Jugendstilornamenten versehen. Der Laeiszhof, Trostbrücke 1, der Firmensitz der durch ihre schnellen Segler im Lateinamerika- und Ostasienhandel erfolgreichen Reederei Laeisz, wurde 1897/98 von den Rathausbaumeistern Haller, Hanssen & Meerwein errichtet und stellt als mächtiger Backsteinrohbau auf einem dreigeschossigen Granitsockel eine Verbindung zur Speicherarchitektur am Nikolaifleet und im Freihafen her. Dennoch verrät die Fassade bereits die Skelettstruktur. Über dem Haupteingang befinden sich vier Repräsentanten des Reiches: Wilhelm I., Bismarck, Roon und Moltke. Beeindruckend ist der Lichthof in Neorenaissanceformen.

Der Globushof, Trostbrücke 2 (1907/08, Architekten: Lundt & Kallmorgen), ein Gebäude der Globusversicherung, stellt ein Kontorhaus des Heimatstils dar, das mit Schmuckgiebeln an althamburgische Bürgerhäuser anknüpft. Der Lichthof erinnert mit seinem barockisierenden Deckenstuck an Kaufmannsdielen.

Ein spätes Beispiel für einen historistischen Mauerwerksbau, aber bereits mit der charakteristischen Dreiteilung der Fassade, findet man an der Großen Bäckerstraße 4 (1899, Architekt: B. Martens). Gut erhalten ist die Eingangshalle.

Am Johannishof, Kleine Johannisstraße 9/11 (1895, Architekt: George Radel) besitzt die Sandsteinfassade ebenfalls noch späthistoristisches Dekor, ihre Auflösung in ein Pfeilersystem ist aber schon konsequent durchgeführt.

Beispiele für eine Verkleidung mit »Grès-flammé-Keramik« und einer ausgeprägten Vertikalstruktur sind die Kontorhäuser Schauenburgerstraße 15 (1906, Architekten: Frejtag & Elingius) mit Jugendstildekor und Nr. 21 (1911, Architekten: diess.) mit figürlichen Motiven und Rosetten.

Ein Unikum stellt das Henckel-Solingen-Haus dar, ein Bindeglied zwischen der Schauenburger- und der Großen Johannisstraße (1906/07, Architekt: Otto Westphal). An der dreizonigen Muschelkalkfassade fallen die »Bay-windows« auf; die Figuren eines Schmiedes und eines Seemanns dazwischen stehen für Industrie und Welthandel.

Das Hindenburghaus am Großen Burstah 31 (1909/10, Architekten: Hiller & Kuhlmann) war – wie an den Balkons der Fassaden ablesbar – ursprünglich ein Hotel. In den 20er Jahren wurde es zum Kontorhaus umgebaut. Die besonders aufwendige zweigeschossige Halle spricht ebenfalls für die Hotelnutzung und zeigt Merkmale von Dielen althamburgischer Bürgerhäuser.

Das Afrikahaus der Reederei Woermann (1899)

»Afrikahaus«, home of the Woermann shipping line (1899)

L'»Afrikahaus« de l'armateur Woermann (1899)

Zwei lebensgroße Elefanten flankieren den Eingang des Hinterhauses.

Two life-sized elephants flank the entrance to the house in the rear.

Deux éléphants grandeur nature flanquent l'entrée du bâtiment côté cour.

Unter der Vielzahl der Kontorhäuser am Neuen Wall sei das Hildebrandhaus Nr. 18 (1907/08, Architekten: G. Radel und R. Jakobssen) hervorgehoben, für dessen Straßenfront im barockisierenden Jugendstil eine edle Sandstein- und Bronzeverkleidung gewählt wurde. Die Eingangshalle ist reich ausgestattet mit Marmor, Keramik und Glas, unter anderem mit einer Stuckfrieskopie eines Werkes von B. Thorvaldsen.

Doch auch an anderer Stelle lohnt sich ein Blick nach oben: am Kirstenhaus, Nr. 44 (1908, Architekt: A. Löwengard), am Haus Prediger, Nr. 40 (1907/08, Architekt: C. F. Dröger), oder vor der außergewöhnlichen Keramikfassade von Nr. 32 (1911, Architekten: Frejtag & Elingius).

Von der Postbrücke aus sieht man auf die schlichteren Rückseiten am Bleichenfleet, die zum Teil aus Backstein und damit in der Tradition der alten Fleetbebauung ausgeführt sind, wie das dreigeschossige Haus Pinçon Nr. 26 (1904/05, Architekten: Frejtag & Wurzbach), die Straßenfront ist zerstört.

Zur Abrundung empfiehlt sich ein Abstecher zu den zwischen 1905 und 1910 entstandenen Kontorhäusern in der Poststraße (Nr. 17–27, Nr. 14–16), aber vor allem zum Ballindamm: Die mächtige neoklassizistische Front des Verwaltungsgebäudes der größten Hamburger Reederei, der HAPAG (Nr. 25), weicht in ihrem Gestung herrschaftlicher Repräsentation von den hamburgischen Kontorhäusern ab (1912–1923 erweitert und umgebaut, Architekt: Fritz Höger; Kern von 1901–1903, Architekt: Martin Haller). Das Kirdorfhaus Nr. 17 (1901–1905, Architekten: Lundt & Kallmorgen) verbindet das Kontorhausschema mit monumentalen Größendimensionen und pompöser Gestaltung. Die Rückseiten dieser Bauten zur Ferdinandstraße hin sind jeweils schlichter.

Über die Bedeutung der Kontorneubauten für die Arbeitsbedingungen der Angestellten ist wenig bekannt. Da es sich bei den Mietern nach wie vor in der Regel um kleine Firmen handelte, wird sich die Arbeitsorganisation durch den neuen architektonischen Rahmen kaum wesentlich verändert haben. Die Frage der Belichtung und Belüftung ist allerdings gelegentlich angesprochen worden. So schreibt die Baugewerkszeitung 1895: »In jüngster Zeit kam man aber zu der Erkenntnis, daß Luft und Licht auch für Comptoire, in denen der Kaufmann doch den größeren Teil seines wachen Lebens zubringt, eine absolute Notwendigkeit seien.«

Die grün-blau changierende »Gres-flammé«-Keramikverkleidung macht den besonderen Reiz des Kontorhauses Poststraße 17–19 aus (1906–1908, Architekten: Frejtag & Wurzbach).

The iridescent bluish-green »grès flammé« ceramic façade, the most striking feature of the »counting-house« at 17–19 Poststrasse.

Le grès flammé aux reflets changeants bleu-vert fait le charme du comptoir situé au N° 17–19 de la Poststrasse (1906, architectes: Frejtag & Würzbach).

Eine Ausnahme unter den Hamburger Kontorhäusern: der mächtige neoklassizistische Repräsentationsbau der größten Hamburger Reederei, der HAPAG, am Ballindamm (1912–1923)

An outstanding Hamburg »counting-house«. The magnificent neo-Classical offices of Hamburg's largest shipping line, the HAPAG, at Ballindamm (built 1912–1923)

Un comptoir qui se distingue des autres: le bâtiment de style néo-classique qui abrite le siège de la plus grande maison d'armement hambourgeoise, HAPAG, sur l'avenue Ballindamm (1912–1923)

Zürichhaus

Als eine moderne Variante des Hamburgischen Kontorhauses stellt sich das Zürichhaus, Domstraße 17–21, dar (1989–92, Architekten: v. Gerkan, Marg & Partner). Mit seiner Klinkerverkleidung, der Dreiteilung der Fassaden, einem Turm, der die Einmündung der Domstraße in die Ost-West-Straße markiert und sich als Pendant zum Turm des Meßberghofes versteht, knüpft es an hamburgische Kontorhaustradition an. Die modernen Markenzeichen dieses Bürogebäudes sind zwei gläserne Lichthöfe und ein geschwungener Wintergarten an der Ost-West-Straße, die Ausblicke auf die Stadt bieten, zugleich aber als energiesparende Wärmepuffer, als Klimaregler, als Schalldämpfer und Treppenhäuser fungieren. Die gläsernen Hallen mit mediterraner Vegetation und Brunnen sind als halböffentlicher Raum gedacht (Gartenarchitekten: Wehberg, Lange, Eppinger und Schmidtke). Das Restaurant im Erdgeschoß mag vielleicht helfen, die Schwellenangst zu überwinden.

Zwei Straßen, zwei Ansichten: das Zürichhaus zwischen Domstraße und Ost-West-Straße

Two streets, two different perspectives: the «Zurich-Haus» between Domstrasse and Ost-West-Strasse

Deux rues, deux points de vue: la »Zürich-Haus« se dresse entre la Domstrasse et l'Ost-West-Strasse

Die Klinkerfassaden des Kontorhausviertels standen auch beim Neuen Dovenhof Pate (1991–93, Architekten: Kleffel, Köhnholdt, Gundermann). Der Bürokomplex mit 19.000 qm Mietfläche schließt den Blockrand zwischen Ost-West-Straße, Brandstwiete und Kleiner Reichenstraße, will aber (als Gegenüber der Solitäre des Spiegel-Verlages und von IBM) mit einem eigenwilligen Kopfbau zugleich auch Hochhaus sein. An der großstädtischen Ost-West-Straße haben sich die Architekten – mit dem flüchtigen Blick des Autofahrers rechnend – für uniforme, schlichte Fensterreihen entschieden, während sie auf die gründerzeitliche, schmal parzellierte Kleine Reichenstraße mit differenzierten Fenstergruppen und einer durch Treppeneingänge rhythmisierten Ladenzone antworten. Ein Bemühen, das den Eindruck des »Zuviel und Zugroß« aber nicht abschwächen kann. Überdimensioniert wie der Bau erscheint auch die Treppenanlage – weder städtebaulich noch durch die Nutzung als Bürohaus gerechtfertigt. Die durch die Last-minute-Rettung des klassizistischen Stadthauses (siehe Seite 16) entstandene Baulücke zum Reichenhof füllt ein schmaler Putzbau, architektonisch eine nachbarschaftliche Verstärkung des isolierten kleinen Wohnhauses, aber wie dieses nur als Gewerbefläche zu mieten.

Der Blickfang des Neuen Dovenhofes: ein Kopfbau in Form eines Kreissegmentes

The eye-catcher in the Neuer Dovenhof: a head-building shaped like the segment of a circle

Point de mire du nouveau »Dovenhof«: la tête ogivale du bâtiment

Bereits mit der städtebaulichen Neuordnung nach dem Großen Brand von 1842 wurde der Standort für das Rathaus vor der Börse festgeschrieben. Doch erst 1897 konnte das Rathaus nach etwa zehnjähriger Bauzeit eingeweiht werden. Nachdem zwei Wettbewerbe (1854 und 1876) ergebnislos verlaufen waren, legte eine Gruppe von damals tonangebenden Hamburger Privatarchitekten 1880 ohne Auftrag einen Entwurf vor, der 1884 von Senat und Bürgerschaft angenommen wurde. Dem von Martin Haller ins Leben gerufenen Rathausbaumeisterbund gehörten die Architektenbüros Haller / Lamprecht, Hanssen / Meerwein, Grotjan / Robertson, Stamann / Zinnow, Hauers / Hüser an.

Der symmetrische Bau mit dem hohen Mittelturm erinnert an flandrische und deutsche Rathäuser des Spätmittelalters und der Renaissance. In diesem Aufbau kommt die in der Verfassung festgelegte Zweiteilung staatlicher Herrschaft zum Ausdruck. Rechts sitzt der Senat, links die Bürgerschaft. Über zwei rückwärtige Flügel ist das Rathaus mit der Börse verbunden. Das reiche Skulpturen- und Bildprogramm dieses historistischen Gesamtkunstwerkes steht unter dem Thema »Hamburg und das Reich«. Am Hauptgeschoß der mit Granit- und Sandstein verblendeten Fassade stehen zwanzig Kaiser des alten Deutschen Reiches für die Tradition als freie Reichsstadt. Die Personifizierung Hamburgs, die Hammonia unter dem Triumphbogen am Turm, wird gerahmt von Bronzefiguren der Bürgertugenden: Frömmigkeit, Tapferkeit, Weisheit und Eintracht. Zwischen ihnen eine Inschrift mit der Mahnung: »Libertatem quam peperere majores digne studeat servare posteritas« (Die Freiheit, die die Vorfahren errungen haben, ist es wert, daß die Nachkommen sich bemühen, sie zu erhalten). Diese Vorfahren sind in Form von Wappen ehemaliger Senatorenfamilien auf den Schlußsteinen der Erdgeschoßfenster gegenwärtig, die Bürger als Büsten verschiedener Berufe in den Fensterbekrönungen des Hauptgesimses vertreten. An die Hansestädte erinnern Wappen in den dazugehörigen Giebelfeldern. Der Phönix am Turm spielt auf Hamburgs Zerstörung und Wiederaufbau nach dem Großen Brand an. Den Turmhelm schmücken Herolde mit Hamburgs Wappenschild, die Turmspitze krönt ein Reichsadler. Auf den Giebeln der Seitenrisalite stehen die alten Kirchspielheiligen für die seit dem Mittelalter bestehende kirchliche Organisation der Stadt: die heilige Katharina links und der heilige Michael rechts. Die großen Repräsentationsräume im Inneren stellen in kolossalen Wandgemälden zahlreiche Bezüge zum Bildprogramm der Fassaden her.

Die Kirchspielheiligen St. Petrus und St. Michael auf den Rathausgiebeln – gesehen aus der Fußgängerperspektive.

Seen from below: St. Peter and St. Michael, the Parish Saints, on the roof of the City Hall.

Les statues des patrons des églises de la ville, St Pierre et St Michel, sur les pignons de l'Hôtel de Ville, telles qu'on les voit de la rue.

Der Rathausmarkt

Kurz nach der Einweihung des Rathauses ließ der Senat aus Anlaß des 100. Geburtstages von Kaiser Wilhelm I. für diesen ein Denkmal auf dem Rathausmarkt errichten, ein Reiterstandbild nach einem Entwurf von Johannes Schilling. Der Kaiser, der dem Rathaus frontal gegenüberstand, war gerahmt von vier lebensgroßen Figurengruppen, Allegorien der Errungenschaften des Reiches. Aus »verkehrstechnischen Gründen« wurde der Kaiser 1930 zum Sievekingsplatz versetzt, die Bronzeplastiken eingelagert (siehe S. 87). Gleichzeitig schrieb die Stadt einen Wettbewerb für ein Gefallenendenkmal aus, für das die Treppenanlage an der Kleinen Alster als Standort vorgesehen war. Realisiert wurde eine Stele nach einem Entwurf von Klaus Hoffmann, der etwas später das Relief einer trauernden Mutter mit Kind von Ernst Barlach zugefügt wurde. Eine Form von Denkmal, das auf jede Verherrlichung von Krieg und Heldentum verzichtet. Die Nationalsozialisten ließen das Relief entfernen und statt dessen einen Phönix-Adler einmeißeln. 1949 beschloß der Senat die Rekonstruktion des Barlach Reliefs.

In den Jahrzehnten nach dem Krieg war der Rathausmarkt – möbliert mit vier kleinen Wartehäuschen – mehr und mehr zu einem Verkehrsknotenpunkt regrediert. Mit der Umorientierung der Planung für die innere Stadt von der »öden« Arbeitsstätte zur »wiederbelebten« City mit Freizeit- und Erlebnisqualitäten geriet auch eine Neugestaltung des Rathausmarktes ins Blickfeld. Nach einem städtebaulichen Wettbewerb bekam die Planungsgruppe FNO Ohrt / Paul / von Seggern 1980 den Auftrag zur Neugestaltung. Der Platz wurde räumlich »gefaßt«, an der Längsseite erhielt er eine gläserne Arkadenreihe, die in der Mitte die Blickachse auf den Rathausturm frei läßt und eine formale Verbindung zu den Alsterarkaden herstellt. Die aufgerissene Schmalseite zur Mönckebergstraße hin begrenzen Baumreihen und das Heine-Denkmal von Woldemar Otto, eine schöpferische Rekonstruktion des 1926 im Stadtpark aufgestellten Heine-Denkmals Hugo Lederers. Dessen Zerstörung durch die Nationalsozialisten zeigt das Sockelrelief. Der Fußgängerbereich ist abgesenkt und durch zwei bis drei Stufen eingegrenzt. Lediglich zur Kleinen Alster hin verläuft er ebenerdig und wird mit dieser über eine Freitreppe (anstelle der früheren Kaimauer) verbunden. Die Pflasterung unterstreicht räumliche Bezüge wie die zwischen den Fensterachsen des Rathauses und den Glasarkaden.

Der Platz ist in jeder Hinsicht angenommen und durch eine Vielfalt von Nutzungen attraktiv geworden: Kino, Kunst und Kommerz wechseln sich ab mit politischer Demonstration oder bürgerlicher Wohltätigkeit, autonome Akteure mit organisierten Großveranstaltungen.

Akteur auf dem Rathausmarkt

Performer in the City Hall Square

Animation sur la place de l'Hôtel de Ville

»...der Belegenheit wegen ganz besonders für Geschäftszwecke geeignet?« – Die Mönckebergstraße und das Kontorhausviertel

Die östliche Altstadt um St. Jacobi war seit dem Mittelalter von »kleinen Leuten« besiedelt. Die im 18. und 19. Jahrhundert mit wachsender Bevölkerung entstandenen Wohnhöfe wiesen ähnliche Mängel auf wie die in der Neustadt (siehe S. 58). Entsprechend hoch war die Sterblichkeitsrate bei der Choleraepidemie 1892, und bürgerliche Kreise äußerten hinsichtlich der Moral und der Aufrechterhaltung der öffentlichen Ordnung in diesem Quartier ebenfalls große Bedenken. Deshalb wurde auch diese Gegend zum Sanierungsgebiet erklärt. Allerdings war hier von einer Wiederansiedlung der Bewohner keine Rede mehr. Das Scheitern des Sanierungskonzepts der südlichen Neustadt lieferte zusätzliche Argumente für ganz andere, ältere Pläne: den Durchbruch einer großen innerstädtischen Hauptstraße vom »Staatsbautenplatz« (Rathaus) zum Steintor bzw. zum 1906 fertiggestellten Hauptbahnhof. Außerdem sollte eine Trasse der Hoch- und Untergrundbahn das Rathaus mit dem Hauptbahnhof verbinden.

In den Jahren 1908–1913 wurde die nach dem damaligen Bürgermeister benannte Mönckebergstraße durchgebrochen und ausschließlich mit Geschäfts- und Kontorhäusern bebaut.

Die Wohnhäuser südlich der Niedernstraße wurden noch vor dem Ersten Weltkrieg abgerissen. Unter den Verantwortlichen war man sich einig, daß dieser Stadtteil »bei der Hochwertigkeit des Baugrundes ... vornehmlich zur Bebauung mit Geschäftshäusern bestimmt ist«, auch wenn es über einen Anteil von Kleinwohnungen in der Bürgerschaft noch Kontroversen gab. Ab 1922 begann man zwischen Steinstraße und Meßberg Kontorhäuser zu bauen. Die bekanntesten sind das Chilehaus, der Meßberghof und der Sprinkenhof.

Mit der Weltwirtschaftskrise ging die Nachfrage nach Büroräumen zurück. Der Abriß der Häuser nördlich der Altstädterstraße zog sich bis in die 30er Jahre hin. Auf der Restfläche des Sanierungsgebietes errichteten die Nationalsozialisten 1936/37 den Altstädterhof, einen Gebäudekomplex mit Wohnungen und Läden.

Die Wohnbevölkerung der Innenstadt verringerte sich zwischen 1890 und 1925 um 50 Prozent, in Teilgebieten der Altstadt sogar um 75 Prozent. Ursache dafür war neben den großen Sanierungen auch die zunehmende Verdrängung von Wohnungen durch Kontorhäuser außerhalb der Sanierungsgebiete (siehe S. 35).

Bis zum Ersten Weltkrieg boten sich den Innenstadtbewohnern in erster Linie die Terrassenquartiere in St. Pauli, Eimsbüttel, Barmbek und auf dem Hammerbrook als Ausweg an. In den 20er Jahren hatten zumindest die Bessergestellten unter ihnen auch Aussicht auf eine der Licht-, Luft- und Sonnewohnungen in den neuen Großsiedlungen am Stadtrand wie der Jarrestadt, der Dulsbergsiedlung oder auf der Veddel.

Die Mönckebergstraße

Für den Durchbruch und die Bebauung der Mönckebergstraße wurden der Bedeutung dieser Großstadtstraße für das Stadtbild entsprechend von staatlicher Seite Regelungen getroffen: Um große Grundstückszuschnitte zu gewinnen, kaufte der Staat die vielen kleinen Parzellen auf und versteigerte sie meistbietend an Interessenten. Über die Gestaltung der Gebäude entschied erstmals eine Kunstkommission, der seit 1910 Fritz Schumacher angehörte.

Die Straßenführung der Mönckebergstraße berücksichtigte Ideen des damals modernen Städtebaus eines Camillo Sitte. Ihr leicht S-förmiger, gleichsam »organischer« Verlauf schafft immer wieder neue Blickachsen und Bilder: beispielsweise vom Rathausmarkt auf St. Petri, von der Kirche auf den Mönckebergbrunnen und die ehemalige Bücherhalle.

Um eine »größere Einheitlichkeit in dem bunten Wollen« zu erreichen (F. Schumacher), achtete man besonders auf das Baumaterial: Zum Rathaus und zum Hauptbahnhof hin sollte Werkstein vorherrschen, in der Nähe der Petrikirche Backstein. An der zuletzt entstandenen Südseite der Straße zwischen Pferde- und

Gängeviertel, Zitat aus: Robert Geissler, Hamburg
Ein Führer durch die Stadt und ihre Umgebungen, 1861, S. 111 f.

»Wer die Spitalerstraße, Steinstraße oder eine von den vielen Straßen der alten Stadt durchwandert, wird in Entfernungen von oft 40 bis 60 Schritt, in den Häusern, getrennt von der Hausthür, kleine thürartige Eingänge bemerken, aus denen oft kein Tagesschimmer herausleuchtet und abends nur ein trübseliges Licht aus weiter Ferne! Es sind lange Gassen, die hier ihren einzigen Eingangspunkt haben. Wenige Fuß breit, manchmal so niedrig, daß man sich bücken muß, um hinein zu gehen, feucht, schlüpfrig auf dem Boden und oft mit Eierschalen, Gemüseabfällen verunreinigt, geben diese Eingänge ein trostloses Bild von dem, was die Gassen bergen mögen ... Diese schmalen tiefen Gäßchen werden hier Höfe genannt. Bewohnt werden sie von Arbeitern, Gemüsehändlern und armen Leuten, mitunter auch wohl von unnahbarem Gesindel. Eine andere Art von schmalen Gassen sind die sogenannten Gänge, Trampgang u. s. w. Es ziehen sich deren z. B. eine Anzahl in dem Raume, der durch Kohlhöfen, Neustädter Straße, Neueste Fuhlentwiete und Alten Steinweg eingeschlossen wird, labyrinthartig herum und ihre Anlage ist so verworren, daß man sich selten zurechtfindet, wenn man nicht ganz genau Bescheid weiß. Höhlen der gemeinsten Laster machen den Durchgang für Damen unmöglich ... hier aber tritt die Prostitution oft so schamlos und an der tiefsten Grenze des Denkbaren auf, daß der Jammer über verlorene Menschheit gar keinen Haltpunkt mehr finden kann und der reine Ekel bleibt ... Man weiß kaum, wie etwas Gutes von dem Nachwuchse erwartet werden kann, der seine Kinderspiele in solchen Gassen treibt. Es wohnen nämlich auch eine Menge ordentlicher Leute in den Gängen, denen andere Stadtquartiere zu teuer sind, oder ihrer Handelsgeschäfte wegen ... Dem Fremden, der Land und Leute ordentlich kennenlernen will, ist ein Gang durch solche Straßen immerhin interessant; einige Vorsicht ist aber dabei ratsam ...«

◀ 44 Wohnhof im Gängeviertel an der Steinstraße, Postkarte um 1910

Postcard from around 1910 showing a courtyard in the «Gängeviertel» near Steinstrasse

Une cour d'habitation dans le »quartier des passages« (carte postale vers 1910)

◀ Vor dem Zweiten Weltkrieg hatte das Rappolthaus in der Mönckebergstraße »Bürgerhausgiebel«

Before the Second World War the »Rappolthaus« in Mönckebergstrasse still had gables characteristic of patrician villas.

Avant la Seconde guerre mondiale, la »Rappolthaus« (Mönckebergstrasse) avait les pignons typiques des demeures bourgeoises.

▶ Nach Kriegszerstörung und »modernem« Wiederaufbau des Südseehauses, Mönckebergstraße 6, läßt nur noch ein barockisierendes Portal in den Kurzen Mühren den Heimatstil der Kontorhausarchitektur erkennen.

After the destruction during the war and subsequent »modern restoration« of the »Südseehaus« at 6 Mönckebergstrasse, a Baroque-styled portal in Kurze Mühren remains the only evidence of the original »counting-house« style.

Après les bombardements et la reconstruction en style »moderne« de la »Südseehaus« (Mönckebergstrasse 6), seul le porche donnant sur la rue Kurze Mühren rappelle l'architecture-type des comptoirs.

Schweinemarkt und später in der südlichen Altstadt setzte sich der Backstein durch – wie der Werkstein auch nur als Verkleidung des Skelettbaus.

Während das Seidenhaus Brandt, Mönckebergstraße Nr. 27 (1912/13, Architekt: Henry Grell), und das Versmannhaus, Nr. 29–31 (1909/12, Architekten: Rambatz & Jolasse), sich mit ihrer Werksteinverkleidung bzw. ihren Gestaltungselementen am Rathaus orientieren, beziehen sich das Kontorhaus Prediger, Bergstr. 7 (1911, Architekt: F. Höger), und der Domhof (1912/13, Architekt: F. Bach) mit Backsteinfassaden auf die Petrikirche. Der kleine Solitärbau in Formen der nordischen Renaissance, das Kunstgewerbehaus Hulbe, Nr. 21 (1910/11, Architekt: H. Grell), läßt der Petrikirche ihre beherrschende Größe und vermittelt zwischen ihr und den großen Kontorhäusern in der Mönckebergstraße.

Das Warenhaus Karstadt lehnt sich mit seiner Pfeilerstruktur an die Kontorhausarchitektur an (1912/13, Architekt: C. Bensel). Nach Kriegsschäden hat man es vereinfacht wiederaufgebaut.

Infolge der Zerstörungen im Zweiten Weltkrieg verändert wurde auch das Rappolthaus, Mönckebergstraße 11, (1911/12, Architekt: F. Höger). Mit seinen barockisierenden Bürgerhausgiebeln, seinen Lisenen und Erkern war es ein herausragender Repräsentant des sogenannten Heimatstils. Nach dem Krieg erhielt es ein Staffelgeschoß.

Die Ladenzone des Rappolthauses hat in den letzten Jahrzehnten die verschiedensten Umbauten erfahren – quer über die Pfeilergliederung der Fassade hinweg und je nach Geschmack der Geschäftsinhaber. Ähnlich war es den anderen Häusern in der Mönckebergstraße ergangen, bei den meisten hatten vorgezogene Dächer den Blick nach oben verstellt. Dieser »Wildwuchs« ist mit der Neugestaltung der Mönckebergstraße in den späten 80er Jahren weitgehend beseitigt worden. Die meisten Kontorhäuser stehen wieder auf ihren »Füßen«, die Pfeiler sind wieder nach unten durchgezogen und bestimmen den Rhythmus der Fassaden. Helle oder durchsichtige Markisen lassen den Blick nach oben zu. (vgl. Warenhaus Karstadt, Barkhof, Levantehaus, Hammoniahaus).

Die Gestaltung des dreieckigen Platzes zwischen Spitaler- und Mönckebergstraße geht auf Fritz Schumacher zurück (1914–26). Die Plastiken am Mönckebergbrunnen stammen von Georg Wrba, in dem tempelartigen Bau waren die öffentlichen Bücherhallen untergebracht. Die heutige kommerzielle Nutzung ist hoffentlich nicht von Dauer.

Der Barkhof, Nr. 8/10 (1909/10, Architekt: F. Bach), und die Seeburg, Spitalerstraße 16 (1908/09 von demselben Architekten), stellen mit ihren Werksteinfronten eine Verbindung zum Hauptbahnhof her. Das antikisierende Relief am Barkhof erzählt von Handel und Wandel, die Seeburg ist mit einem Fischerpaar, allerhand Seegetier sowie Allegorien von »Arbeit« und »Wissenschaft« dekoriert.

In der Spitalerstraße, einer der ersten Fußgängerzonen, kann man nahezu jederzeit erleben, worin sich öffentlicher Straßenraum von Passagen auf privatem Grund unterscheidet: Hier gibt es Auftritte aller Art, vom Wanderpredigern und Zauberkünstlern, von Alleinunterhaltern, Bettlern und Musikgruppen. Pläne aus den 80er Jahren, diese Straße ebenfalls zu überdachen, sind vorerst wieder vom Tisch.

Ein modernes Kontorhaus, der Spitalerhof, Spitalerstraße/Kurze Mühren (1989/91, Architekten: Nietz, Prasch und Sigl) übernimmt die »klassische« Dreiteilung des Kontorhauses und fügt sich »redlich und behäbig« (K. v. Behr) in seine Umgebung ein.

Das backsteinverkleidete Südseehaus, Mönckebergstraße 6 (1911/12, Architekt: F. Bach), ist am leichtesten an seinem barockisierenden Portal in den Kurzen Mühren als Kontorhaus des Heimatstils zu erkennen.

▲ *Das Chile-Haus, 1922–1924 nach Entwürfen von Fritz Höger errichtet, wurde rasch zum Symbol des wirtschaftlichen Neubeginnes während der Inflationszeit und zum Wahrzeichen Hamburgs.*

The »Chile-Haus«, designed by Fritz Höger and erected in 1922–1924, quickly became a Hamburg landmark and symbol of economic revival between the wars.

La Maison du Chili (1922–1924), œuvre de l'architecte Fritz Höger, devint rapidement un symbole de l'essor économique à l'époque de l'inflation, et l'emblème de Hambourg.

▶ *53 Auf das staatliche Dienstgebäude Klingberg 1 (1906/08) wurde beim Bau des Chilehauses Rücksicht genommen.*

When erecting the »Chilehaus«, the architects keyed their design to the government building at 1 Klingberg (1906/1908).

Lors de la construction de la Maison du Chili, il fut tenu compte de l'architecture du bâtiment situé au N° 1 du Klingberg (1906–1908).

Die geschweiften Giebel sind nach Kriegseinwirkung durch Staffelgeschosse ersetzt worden. Zusammen mit dem Klöpperhaus, Mönckebergstraße Nr. 3 (1912/13, Architekt: F. Höger), bildet es eine torartige Eingangssituation.

Die Südseite der Mönckebergstraße führt mit dem Levantehaus, Nr. 7 (1912/13, Architekten: F. Bach und C. Bensel), und dem Hammoniahaus, Nr. 5 (1912/13, Architekt: E. Friedheim), noch einmal verschiedene Varianten des Kontorhausbaus im Heimatstil vor Augen. Ihre Rückseiten in der Bugenhagenstraße sind sachlicher, nüchterner gestaltet und darin zukunftsweisend.

Das Klöpperhaus entstand aufgrund eines Wettbewerbs, den H. A. Klöpper, der Bauherr und Freund Alfred Lichtwarks, ausgeschrieben hatte, um die Entwicklung der Hamburger Kontorhausarchitektur zu befördern. Höger entwarf für das reine Verwaltungsgebäude eine strenge durchgehende Pilastergliederung mit »Bay-windows« auf einem Rundbogensockel und verzichtete auf Bürgerhausdetails wie Erker oder Giebel. In dieser vergleichsweise freien Übernahme vorindustrieller regionaler Bautraditionen war dieser Höger-Bau »modern«. Die Bronzeschafe (August Gaul) standen ursprünglich am Haupteingang der Wollhandelsfirma. Das Klöpperhaus wurde nach Beschädigungen im Krieg 1967 zu einem Kaufhaus umgebaut, die Fassaden weitgehend originalgetreu wiederhergestellt. Ein geplantes und bereits genehmigtes »Kaufhaus des Nordens«, das Horten mit dem Kaufhof verbinden soll, wird die Fassade des Högerbaus an den Langen Mühren verdecken.

Die Geschäftshäuser an der Mönckebergstraße wurden »die eigentlichen Kristallisationspunkte für all das, was in Hamburg seit 1900 – im Rahmen der allgemeinen Reformbewegung der deutschen Architektur, z. B. die Heimatschutzbewegung an Engagement fürs Stadtbild aufgekommen war« (H. Hipp). Die Heimatschutzbewegung kritisierte die Zivilisation der Industriegesellschaft und die Anonymität der Großstadt und forderte anstelle des internationalen Historismus und Jugendstils eine Rückwendung zur vorindustriellen regionalen Bautradition der alten Bürgerhäuser oder ländlicher Bauten. Insofern ist der Heimatstil, der sich in Hamburg seit etwa 1905 durchzusetzen begann, als Versuch der Aussöhnung mit der Großstadt des Industriezeitalters zu verstehen, als Versuch, eine moderne »Großstadtheimat« zu schaffen. Die noch zum Sanierungsgebiet Mönckebergstraße gehörige Nordseite der

◀ *Anfang der 30er Jahre standen zwischen Altstädterstraße und Steinstraße noch einige Überreste des Gängeviertels, das zugunsten der Kontorneubauten beseitigt worden war.*

At the start of the 1930's some traces of the »Gängeviertel« – which had been demolished to make way for new office complexes – could still be discovered between Altstädterstrasse and Steinstrasse.

Au début des années 30, quelques passages subsistaient encore entre les rues Alstädterstrasse et Steinstrasse. Ils firent place ensuite aux nouveaux comptoirs.

Steinstraße wurde erst nach dem Ersten Weltkrieg bebaut. Das Karstadt-Verwaltungsgebäude, Steinstraße 10 (1921–1924, Architekt: Ph. Schäfer), fällt mit seiner monumentalen Sandsteinfassade aus der Backsteinumgebung heraus. Es dokumentiert wie das HAPAG-Gebäude am Ballindamm, daß der Neoklassizismus als Repräsentationsarchitektur keine Erfindung der Nationalsozialisten war. Der expressionistische Reliefschmuck zwischen den Säulen verrät die Entstehungszeit in den 20er Jahren.

Das Kontorhausviertel

Im eigentlichen Kontorhausviertel um den Burchardplatz entstand 1922–1924 als erstes Gebäude das Chilehaus nach dem Entwurf von Fritz Höger und im Auftrag von Henry Brarens Sloman, dessen Hauptgeschäft im Handel mit Chile-Salpeter bestand. Der schiffsbugartige Klinkerbau wurde rasch zum Symbol des wirtschaftlichen Neubeginns während der Inflationszeit und zum Wahrzeichen Hamburgs und des Architekten. Der Andenkondor an der Spitze des Erdgeschosses ist ein Zitat der Adlergalionsfigur des HAPAG-Dampfers »Imperator«.

Die dynamisch geschwungene Front an den Pumpen und der schnurgerade Verlauf der Seite entlang der Burchardstraße werden besonders betont durch die Staffelgeschosse. Diese Kontraste, vor allem aber die (auf einen Arbeitsplatz bezogene) dichte Pfeilerreihe über dem Sockelgeschoß eröffnen immer wieder neue Perspektiven: Je nach Standort verschwinden die Fensterreihen oder tauchen langsam wieder auf. Die große architektonische Geste des Schiffsbugs verbindet sich mit einer Vorliebe für das Detail, für den Backstein als Schmuckelement – nicht ohne Grund nannte man Höger »Klinkersticker«. Kleinteilige Sprossenfenster und Klinker mit bunter, unregelmäßiger Oberfläche tragen zu dieser dekorativen Wirkung bei (den Klinker hatte der Bauherr allerdings schon auf Vorrat gekauft, ehe der Architekt tätig wurde). Am Bug und an der Burchardstraße überbrücken expressionistisch-gotisierende Arkaden von Richard Kuöhl die Mauervorsprünge. Der Tudorbogen über der Fischertwiete ist ein Motiv des Wohnhauses des Bauherrn und auf dessen Wunsch von Höger übernommen. Das Chilehaus hat ebenfalls einen Kern aus Betondecken und -pfeilern, sie sind – anders als im sonstigen Kontorhausbau – mit den aus Klinker gemauerten außenliegenden Pfeilern zu einem Tragesystem verbunden.

Backstein war in der Vorstellung Högers mehr als ein Baustoff: »Ein Bauedelstein, mit dem man wirken, sticken und träumen kann.« Höger begründete seine Präferenz für den Klinker ethisch und verband damit Ehrlichkeit der Konstruktion und Reinheit des »in Feuersglut erhärteten Materials«. Er sprach dem Klinker die Fähigkeit zu, »das deutschen Wesen am feinsten auszudrücken«. In der bewußten Anlehnung an die Backsteingotik als »dem letzten großen deutschen Baustil« sah Höger seine Aufgabe darin, die »Reformation der deutschen Baukunst durchzuführen und unserem Volke Kultur und sein eigenes Ich wiederzugeben«. Er hatte sich von den Nationalsozialisten viel erhofft und war Mitglied in der NSDAP und im Kampfbund Deutscher Architekten und Ingenieure. Doch er wurde nicht mit größerem Aufgaben betraut, die Nationalsozialisten bevorzugten für ihre Repräsentationsbauten den Neoklassizismus eines Albert Speer.

Das Chilehaus ist kürzlich verkauft und modernisiert worden. Dabei hat man die Kacheln in den

POLIZEI
Deutsche Bank

Treppenhäusern von ihrer Lackfarbe befreit (besonders lohnend: Eingang A und C). Bei dieser Gelegenheit bekam auch die Ladenzone ein neues – eigenwilliges – Design.

Die Polizeiwache Klingberg 1, das ehemalige Dienstgebäude der Landherrenschaften, war der erste Neubau im Sanierungsgebiet (1906/08) und ist ein Beispiel für die Anfänge des Heimatstils unter Albert Erbe, dessen Bauten sich noch sehr stark an Alt-Hamburger Bürgerhäusern orientieren. Das Chilehaus mußte auf dieses Gebäude Rücksicht nehmen.

Fast gleichzeitig mit dem Chilehaus entstand 1922–1924 der Meßberghof, der vor den Nationalsozialisten den Namen des Generaldirektors der HAPAG, Ballin, trug und von Hans und Oskar Gerson entworfen wurde, von Architekten, die wegen ihrer jüdischen Herkunft nach 1933 nicht mehr bauen durften. Die Fassade des turmähnlichen Kopfbaus wirkt – ganz anders als die des Chilehauses – wie eine geschlossene Wand, das Skelett verschwindet in der Fläche. Die Wände sind verschliffen mit mächtigen gotisierenden Außenpfeilern, sie markieren die gestaffelten Seitenflanken. Im Innern beeindruckt die offene Treppe, die sich in einer gebrochenen Spirale in den Glasturm hinaufzieht. Das Mansarddach wird zur Zeit in einer Neufassung wieder aufgebaut.

Das Bürohaus des Heinrich-Bauer-Verlages, Burchardstr. 1 (1978–1980 Architekten: Graaf, Schweger & Partner), schließt sich an den Meßberghof an und fügt sich mit seinen Klinkerpfeilern und Staffelgeschossen in die umliegenden Kontorhausarchitektur ein. Die Fassadenkrümmung und der Erker bezeichnen die Mündung der Burchardstraße.

Der Sprinkenhof, Burchardstraße 6–14, ist in drei Abschnitten entstanden: Der Mittelteil 1927–1928 nach Entwürfen von Fritz Höger und den Gebrüdern Gerson, der westliche 1930–1932 von den gleichen Architekten, während der östliche Anbau von 1939–1943 auf Höger allein zurückgeht. Auch an diesem Bau verschwindet das Betonskelett hinter Backsteinwandflächen, ein kleinteilig dekoratives Klinkernetz überzieht den Mitteltrakt, vergoldete Embleme mit Motiven wie Rad, Schiff, Adler, Waage oder Burg stehen für Wirtschaft und Verkehr, Hamburg und das Reich. Die ursprünglichen Buckelglasscheiben sind nur im Innenhof erhalten bzw. wiederhergestellt. Der keramikverkleidete Eingang an der Burchardstraße führt wiederum zu einer großzügig angelegten Wendeltreppe. Wegen der Wohnungsnot waren für die vom Abbruch Betroffenen im Sprinkenhof provisorisch für die Dauer von zehn Jahren 120 Wohnungen eingebaut.

Eine schlichte glatte Backsteinfassade mit Lochfenstern verbirgt das Betonskelett des Mohlenhofes am Burchardplatz (1928/29, Architekten: Klophaus, Schoch, zu Putlitz), der damit den Einfluß des Neuen Bauens erkennen läßt. Kristalline Formen des Expressionismus springen dagegen an den Staffelgeschossen und dem Eingangsbereich des Montanhofs ins Auge, dessen Mitte sich zwischen Kattrepel und Niedernstraße auffächert (1924–1926, Architekten: Distel & Grubitz).

Der Altstädter Hof, eine mit Giebeln und Erkern bieder und heimatlich anmutende Wohnanlage auf der Restfläche des Sanierungsgebiets südlich der Steinstraße, wurde 1936/37 nach Entwürfen von Rudolf Klophaus erstellt. Ein Relief mit olympischem Fackelträger im Hof von Richard Kuöhl nennt das Baujahr.

Als eines der letzten Gebäude des Kontorhausviertels entstand 1938 das Pressehaus, damals der Sitz des Hamburger Tagesblattes, des offiziellen NSDAP-Organs (Architekt: Rudolf Klophaus). Das herkömmliche Baumaterial Backstein, Sprossenfenster, rundbogige Arkaden und (ursprünglich) ein hohes Walmdach wirken harmlos traditionalistisch, keineswegs einschüchternd und bedrohlich wie die Machthaber, die sie bauen ließen. »Die Mitteilung dieser vom Dritten Reich übriggebliebenen Steine ist häufig genug anmutend und harmonisierend, geeignet, vergessen zu machen, was das Dritte Reich als Reich eigentlich war und was damals mit Menschen passierte« (H. Hipp).

Nach dem Krieg hatten in dem Gebäude die SPD-Zeitungen und das Nachrichtenmagazin DER SPIEGEL ihren Sitz, heute befinden sich hier die Redaktionsräume der Wochenzeitung DIE ZEIT.

St. Jacobi

Die Hauptkirche St. Jacobi wurde 1255 erstmals urkundlich erwähnt, der heute bestehende gotische Backsteinbau nach dem Vorbild von St. Petri um 1340 begonnen. Ende des 15. Jahrhunderts kam das zweite südliche Seitenschiff dazu. Im Kriegsjahr 1944 ist die Kirche ausgebrannt, 1951–1963 wiederhergestellt worden (Architekten: Hopp & Jäger). In diesem Zusammenhang entstand auch der kupfergedeckte moderne Turmhelm. Berühmt ist vor allem die Orgel von Arp Schnittger, die größte erhaltene Barockorgel Norddeutschlands (1689–1693).

▶ *Das Pressehaus ist 1938 für das Hamburger Tageblatt, das Organ der NSDAP, errichtet worden.*

The «Pressehaus» was constructed for the Hamburger Tageblatt in 1938, a newspaper propagating National Socialist views.

La Maison de la presse fut érigée en 1938 pour le »Hamburger Tageblatt«, organe de la NSDAP.

▼ *Der Mittelteil des Sprinkenhofes stammt aus dem Jahre 1927/28 und geht auf Entwürfe von Fritz Höger und den Gebrüdern Gerson zurück.*

The central section of the Sprinkenhof was built in 1927/28, based on plans by Fritz Höger and the Gerson brothers.

La partie médiane du «Sprinkenhof», qui date de 1927/28, fut édifiée d'après les plans de Fritz Höger et des frères Gerson.

Die Neustadt – von Gärten und Gängen, von Sanierungen, Stadthäusern und Szenen

Das Gebiet der heutigen Neustadt lag zu Beginn des 17. Jahrhunderts noch vor den Toren der Stadt, die nach Westen durch den Neuen Wall (1530–1558) und Wassergräben zwischen Alster und Elbe (Herrengraben/Bleichenfleet) geschützt war. Der leicht ansteigende Geestrücken westlich des Alsterlaufs war damals nur locker bebaut. Hier hatten sich vor allem Gewerbe niedergelassen, die viel Platz brauchten und das Leben in der Stadt störten, wie Ziegeleien (vgl. der Straßenname Teilfeld aus Tegelfeld = Ziegelfeld), Seilereien und Bleichenbetriebe. Auf einem großen Teil der Fläche waren Gärten angelegt, nicht wenige mit einem Haus, das als Sommersitz genutzt wurde. Zwei Jahre vor Ausbruch des Dreißigjährigen Krieges (1616) beschloß die Stadtregierung, die Befestigung der Stadt durch den niederländischen Baumeister Johan van Valckenburgh erneuern zu lassen und dabei die Anhöhe im Westen einzubeziehen. Bis 1626 entstand ein Bollwerk, das Hamburg zur stärksten Festung Deutschlands machte und erst nach knapp 200 Jahren seine Bedeutung verlor. Auch nach der »Entfestigung« in den 1820er Jahren wirkte der ehemalige Wall noch als Grenze: Die sogenannte Torsperre, eine Regelung, die für das Passieren der Tore bei Dunkelheit ein Sperrgeld forderte, bestand noch bis 1860 und hinderte vor allem die ärmere Bevölkerung, sich »vor den Toren« niederzulassen. Dahinter stand das Interesse der in der Bürgerschaft herrschenden Grundeigentümer, die hohen Bodenpreise in der Stadt aufrechtzuhalten.

Auch heute noch zeichnet sich diese ehemalige Befestigungsanlage im Stadtbild ab: Der sogenannte »Ring 1« vom Klosterwall bis zum Holstenwall folgt ihrem Verlauf, in den Wallanlagen sind stellenweise noch Spuren von Bastionen und Wassergräben zu erkennen.

Die Grenze zwischen Altstadt und Neustadt zieht sich von der Lombardsbrücke durch die Binnenalster, die Kleine Alster und das Alsterfleet zum Binnenhafen. Der »Neue Wall« hatte durch die Stadterweiterung seine Funktion verloren und wurde im Laufe des 18. Jahrhunderts bebaut; seine südliche Verlängerung bildet jetzt die Fleetinsel (heute: Admiralitätstraße).

Das Straßennetz der Neustadt ergab sich zum einen aus den alten Landstraßen und Wegen, die aus der Altstadt herausführten (Alter und Neuer Steinweg, Schaarsteinweg), und den früheren Feldwegen zwischen den Gärten, aus denen später die dichtbebauten Gänge wurden. Zum anderen war es gekennzeichnet durch ein schachbrettartiges Ordnungssystem, das vermutlich auf den Festungsingenieur van Valckenburgh zurückgeht (vgl. Vorsatz). Während die alten Straßenverbindungen aus der Altstadt heute noch existieren, sind das Fußwegenetz der Gänge und die barocke Straßenplanung nur noch an wenigen Stellen erkennbar. Die großen Sanierungen des 19. und 20. Jahrhunderts und die Modernisierung nach dem Zweiten Weltkrieg haben diese alte Struktur weitgehend verwischt.

Abgesehen vom nördlichen Teil um den Gänsemarkt und an den Großen Bleichen, wo wohlhabende Familien große Gärten und Wohnhäuser besaßen, war die Neustadt bevorzugtes Wohnquartier der städtischen Mittel- und Unterschichten. Für die vom Wasser abhängigen Kaufleute war eine Niederlassung auf dem Geestrücken ohnehin ungeeignet.

Schon im 17. Jahrhundert begann ein Verdichtungsprozeß in der Neustadt, der sich bis ins späte 19. Jahrhundert fortsetzte: Gärten und Freiflächen im Blockinneren wurden zugebaut, es entstanden Wohnhöfe mit Budenreihen (eingeschossigen Häuserzeilen) oder Sahl-(d. h. Miet)wohnungen in mehrgeschossigen Hofflügeln und an den Straßen Mietshäuser mit teilweise fünf bis sechs Stockwerken. Diese Bebauung führte zu einem unübersichtlichen Gewirr von Gassen und Gängen, das diesen Quartieren die Bezeichnung Gängeviertel gab.

Das Anwachsen des Handels und die um die Mitte des 19. Jahrhunderts verstärkt einsetzende Industrialierung hatten den Zuzug vom Lande vermehrt, der Wiederaufbau nach dem Großen Brand und der Bau der Speicherstadt hatten einen innerstädtischen Verdrängungsprozeß zur Folge, der zur wachsenden Nachfrage nach Wohnungen in den hafennahen Gebieten der Neustadt (und der östlichen Altstadt, siehe S. 47 ff.) führte. So erhöhten sich beispielsweise die Einwohnerzahlen der Neustadt zwischen 1871 und 1890 von rund 84 000 auf etwas über 100 000. Während ein Großteil der Bewohner des »Gängeviertels« nördlich des Großneumarkts in der inneren Stadt arbeitete, bestand die Bevölkerung des südlich von St. Michaelis gelegenen Quartiers vorwiegend aus Hafenarbeitern, d. h. aus fast ausschließlich unständig Beschäftigten, die oft mehrmals am Tage im Hafen nach Arbeit Ausschau halten mußten und deshalb die hafennahen Wohnungen bevorzugten.

Die große Nachfrage nach solchen Kleinwohnungen ließ erhebliche Mietpreissteigerungen zu. In den 1890er Jahren hatte man hier um 50 Prozent mehr zu bezahlen als in besser ausgestatteten Wohnungen in den Randbezirken. Um die Mietkosten – 1900 etwa ein Viertel eines Hafenarbeitereinkommens – zu senken, mußten viele Arbeiterfamilien Einlogierer aufnehmen. Kinder oder Erwachsene, die gemeinsam in einem Bett schliefen, waren nichts Ungewöhnliches und Familien, die sich eine der 25 bis 35 Quadratmeter großen Wohnungen mit einer anderen teilten, keine Seltenheit. Von Überbelegung sprach man amtlicherseits erst, wenn mehr als fünf Personen auf einen heizbaren Raum kamen.

Die Wohndichte in den Gängevierteln – doppelt so hoch wie sonst in der Stadt –, die mangelnde Belichtung und Belüftung, das Fehlen sanitärer Einrichtungen und die unzureichende Instandhaltung durch die Hausbesitzer hatten bereits Mitte des 19. Jahrhunderts Anlaß zu bürgerlicher Besorgnis gegeben. Denn in den lichtarmen engen Höfen sah man nicht nur ungesunde Wohnverhältnisse, sondern zugleich »die Hütten der Armut und des Lasters«, eine »stete Gefahr für Staat und Gesellschaft«, zumal die Arbeit der Polizei in dem Labyrinth der Gänge und Höfe als »ungemein schwierig« galt. Die Patriotische Gesellschaft (siehe S. 31) hatte bereits 1855 einen »Commissionsbericht über die Wohnungsverhältnisse der unbemittelten Volksklassen Hamburgs . . .« veröffentlicht und zur Verbesserung der Wohnsituation die Gründung von gemeinnützigen Baugesellschaften vorgeschlagen.

Doch die ersten, die eine Sanierung der Gängeviertel in Angriff nahmen, die Gebrüder Wex, waren private Bauspekulanten, die in den 1860er Jahren eine große Zahl von zusammenhängenden Grundstücken

am Großneumarkt aufgekauft hatten und dadurch eine vom Senat wie von der Bürgerschaft als notwendig erkannte und gewünschte Sanierung im großen Stil verhinderten.

Erst gegen Ende des Jahrhunderts nahm der Staat selbst die Beseitigung der Wohnmißstände in die Hand. Dies hatte aktuelle Gründe: Die Choleraepidemie im Jahre 1892, die nicht nur Tausende von Todesopfern gefordert, sondern auch den Hamburger Hafen monatelang lahmgelegt hatte, richtete das Augenmerk von Politikern und Behörden erneut auf die Wohnverhältnisse der Arbeiterschaft in den Gängevierteln. Denn hier hatte die Cholera überproportional viele Tote gefordert. Einen weiteren Anstoß gab der große Hafenarbeiterstreik von 1896, weil man in den unverändert schlechten Wohnbedingungen der Hafenarbeiter eine der sozialen Ursachen für den Streik sah. Der Senat legte drei Sanierungsgebiete fest, die nördliche und südliche Neustadt und östliche Altstadt, und begann 1901 mit der südlichen Neustadt. Das Konzept sah nicht nur die Beseitigung ungesunder Wohnungen vor, sondern »den Wiederaufbau gesunder Wohnungen durch von den Staatsbehörden zu treffende Maßnahmen, geeignetenfalls unter Anwendung von Staatsmitteln« und dies »tunlichst an der alten Stelle und für dieselben Bevölkerungsklassen, welche da selbst ansässig gewesen sind«. Mit der Verpflichtung zur Wiederansiedlung der Bewohner, mit der Übernahme der politischen und finanziellen Verantwortlichkeit hatte der Hamburger Staat die Wohnungspolitik explizit zu seiner eigenen Sache gemacht. Doch gegen Ende der Sanierungsmaßnahmen 1911 mußte ein interner Bericht feststellen, daß nicht eine einzige der zuvor ansässigen Familien »dort wieder Wohnung genommen (habe), weil die Mieten, trotz der geringen Grundstückspreise in den kleinen Wohnungen zu hoch sind«. Das Konzept war gescheitert. Der Senat hatte lediglich einen kleinen Teil des Sanierungsgebietes für Kleinwohnungen reserviert und diesen besonders preiswert an gemeinnützige Bauvereine und Genossenschaften verkauft. Deren Klientel bestand jedoch nicht aus Gelegenheitsarbeitern, die von der »Hand in den Mund« leben mußten, sondern aus Facharbeitern, Angestellten und kleinen Beamten mit einer etwas längerfristigen finanziellen Perspektive.

Was diese Sanierungsmaßnahmen für die Bewohner bedeuteten, läßt sich aus dem vorhandenen Quellenmaterial nur mittelbar und sehr bruchstückhaft erschließen. Da wird eine »ungeheure Zähigkeit« konstatiert, »mit welcher der kleine Mann an seinen von allen Sozialpolitikern getadelten alten Wohnungen in den schlechtesten Quartieren der Stadt festhält«, da ist von »polizeilichem Zwang« die Rede, dessen es bisweilen bedurfte, um »die Arbeiterschaft auf den Umzugsweg zu bringen«.

Einige Zahlen vom Beginn der Sanierung deuten darauf hin, daß die meisten Bewohner (fast zwei Drittel) in die alten Viertel der nächsten Umgebung ausgewichen sind und nur wenige bereit waren, in die Außenbezirke zu ziehen.

Nach Abbruchmaßnahmen in der östlichen Altstadt, dem zweiten vom Staat festgelegten Sanierungsgebiet, und dem Bau des Kontorhausviertels in den 20er Jahren (siehe S. 52) nahmen die Nationalsozialisten die Beseitigung des Gängeviertels nördlich des Großneumarkts in Angriff, des letzten dieser alten Arbeiterquartiere (wenn man von einigen verbliebenen Wohnhöfen in der östlichen Altstadt absieht). Hierhin waren in den 20er Jahren vor allem Hafen- und Gelegenheitsarbeiter gezogen, deren soziale Situation sich durch Wirtschaftskrise und Arbeitslosigkeit rapide verschlechtert hatte. Viele sahen in den radikalen Forderungen der KPD den einzigen Ausweg – sie hatte hier teilweise über 60 Prozent der Stimmen. Andere versuchten durch Kleinkriminalität und Prostitution zu überleben. Konflikte mit der Staatsgewalt waren keine Seltenheit. In den Sanierungsplänen rückte deshalb das Argument der »ernsten Gefahr« für die Sicherheit des Staates gegen Ende der 20er Jahre in den Vordergrund. Die Nationalsozialisten begannen noch 1933 mit dem Abriß von etwa 1200 Wohnungen und ließen an deren Stelle »für Volksgenossen, die ihre Beschäftigung im Hafengebiet finden«, 500 Neubauwohnungen errichten. Ein als »Kulturtat ersten Ranges« gefeierter Akt, der das Ziel verfolgte, »die Brutstätten des Marxismus« zu zerstören. Bei dieser Sanierungsmaßnahme trafen drei Anliegen der

◀ *56 Hinter den schmalen Fachwerkhäusern am Krayenkamp verbirgt sich der letzte erhaltene Wohnhof der Neustadt, die sogenannten Krameramtsstuben.*

The last surviving court with adjoining dwellings in the city centre, the »Krameramtsstuben«, is hidden behind the narrow half-timbered houses at Krayenkamp.

Derrière les étroites maisons à colombages de Krayenkamp se cache la dernière impasse typique de la Ville Neuve de jadis. C'est là que vivaient les veuves d'une corporation de marchands.

◀ *Gängeviertelwohnungen wie diese gab es bis in die 1930er Jahre.*

The style of house still found in the «Gängeviertel» during the 1930s

Un appartement du »quartier des passages« dans les années 30

▼ *Für das Unileverhochhaus (links im Bild) wurde in den 60er Jahren ein Quartier mit mehr als 500 Wohnungen niedergelegt.*

Over 500 houses were pulled down during the 1960s to make way for the Unilever Tower (left of picture).

Pour édifier l'immeuble d'Unilever (à gauche sur la photo) dans les années 60, il fallut raser un quartier de plus de 500 logements.

Zwei Arten der »Wiederbelebung der Innenstadt«.
Verkaufsstände auf dem Großneumarkt, im Hintergrund modernisierte Altbauten. Einkaufspassage »Hamburger Hof«

Two ways of »revitalising the city centre«
Top: Market stands at Grossneumarkt; in the rear modernised pre-war buildings
Bottom: The »Hamburger Hof« shopping arcade

La »Renaissance du centre-ville«:
En haut: Stands sur la place Grossneumarkt. Au fond, immeubles anciens réhabilités.
En bas: La galerie marchande »Hamburger Hof«

Nationalsozialisten zusammen: die Zerstörung von politisch geprägten Lebensverhältnissen, Arbeitsbeschaffungsmaßnahmen im Baugewerbe und schließlich das Bemühen, innerhalb der Arbeiterschaft Loyalität zu gewinnen. Über die vorher hier ansässigen Familien heißt es in den Akten, daß sie »auf dem freien Wohnungsmarkt ohne Hilfe der Behörden andere Wohnungen gefunden haben«.

Mit der Beseitigung dieses letzten Gängeviertels wurde 1934 auch die Synagoge in den Kohlhöfen (1857–1859) zwangsweise an den Staat verkauft und abgebrochen. Sie hatte allerdings, wie die ältere Synagoge an der ersten Elbstraße (heute: Neanderstraße) bereits 1906, mit der Einweihung des Synagogenneubaus am Bornplatz im Grindelviertel, ihre Funktion verloren. Denn ein Großteil der ehemals in der Neustadt ansässigen Juden war nach der Aufhebung der Torsperre (1860) in das Gebiet vor dem Dammtor gezogen. Bis dahin war die Neustadt Zentrum der jüdischen Gemeinden gewesen. Schon Mitte des 17. Jahrhunderts hatte ein Reglement festgelegt, daß Juden nur in der Neustadt wohnen dürfen. Diese Beschränkung wurde erst nach dem Großen Brand von 1842 aufgehoben. Von den vielen Bauzeugnissen der jüdischen Kultur, von den Synagogen und Gemeindehäusern, den Schul- und Wohnstiften der Neustadt sind nach der Abwanderung der Gemeinde zum Grindel, nach der Zerstörung durch die Nationalsozialisten und im Zweiten Weltkrieg nur einige wenige übriggeblieben.

Den Bomben des Zweiten Weltkrieges fielen mehr als die Hälfte der Wohnungen der Neustadt zum Opfer. In den Jahrzehnten danach herrschten sehr unterschiedliche Vorstellungen von innerstädtischer Entwicklung. Der von krassen Gegensätzen geprägte Baubestand der Neustadt fordert gleichsam dazu heraus, sich damit zu befassen:

Die Ost-West-Straße, noch in der NS-Zeit als Entlastung des Wallrings und der Hafenrandstraße geplant, aber erst zwischen 1953 und 1963 fertiggestellt, zerschneidet sechsspurig das ehemals zusammenhängende Quartier zwischen Michaeliskirche und Großneumarkt. Der (zunächst) unbegrenzte Straßenraum mit Solitärbauten, wie dem Bürohochhaus des Deutschen Rings (1964, Architekten: Matthaei und Graaf), zeugt von der Vision der offenen, aufgelockerten, monofunktionalen City und steht zugleich für die Idee der »autogerechten Stadt«.

Die Verdrängung des Wohnens zugunsten von Büros, wie sie der Aufbauplan von 1960 vorsieht, ist auch mit der Geschichte des Unilever-Hochhauses am Valentinskamp verbunden (1961, Architekten: Hentrich und Petschnigg, Düsseldorf). Ihm ging von 1958 bis 1960 der Abbruch der alten Fachwerkhäuser zwischen Caffamacherreihe, Valentinskamp und Dammtorwall voraus, die größte Flächensanierung seit der NS-Zeit, durch die an die 520 Mietparteien umgesiedelt werden mußten. In der »besseren« Neustadt, an der Esplanade, war es die noch in den 40er Jahren unter Denkmalschutz gestellte klassizistische Wohnbebauung, die für das BAT-Hochhaus (1958/59) und das Finnlandhaus (1961–1966, beide ebenfalls von Hentrich und Petschnigg) geopfert wurde.

Mitte der 60er Jahre, zur Zeit des Erscheinens von Alexander Mitscherlichs Buch über die »Unwirtlichkeit der Städte«, wurden zunehmend Zweifel laut am Konzept der Innenstadt als reiner Arbeitsstätte. Von Verödung war die Rede. Kaufhäuser, Kultureinrichtungen, Restaurants, erste Fußgängerzonen (die Spitalerstraße seit 1968) sollten zur »Belebung der Innenstadt« beitragen. Auch über citynahes Wohnen begann man in Kreisen von Stadtplanern und Politikern nachzudenken. Für die Neustadt wurde 1973 der Bau von 300 Sozialwohnungen an der Gerstäckerstraße beschlossen. Gleichzeitig richtete sich das Augenmerk auf die alte Bausubstanz um den Großneumarkt. Statt des in den 60er Jahren geplanten Kahlschlags für Büroflächen wollte man jetzt die Altbausubstanz modernisieren, das Wohnumfeld verbessern und die Wohnnutzung durch Neubauten stärken. Damit sollte ein »sozialer Erosionsprozeß« gestoppt werden, der am Abwandern der mobilen, jüngeren, leistungsfähigeren Bevölkerung aus den citynahen Gebieten und das Zurückbleiben der sozial Schwächeren festgemacht wurde. Die Neustadt gehörte neben der Deichstraße zu den ersten Gebieten, die im Rahmen dieser Art von Stadterneuerung saniert wurden. In den modernisierten Häusern haben sich inzwischen Boutiquen und Schmuckläden, Feinschmeckerrestaurants und neue Szenekneipen eingerichtet, eine Attraktion für Gäste von nah und fern.

Der traditionell vornehmere Teil der Neustadt zwischen Großen Bleichen, Gänsemarkt und Colonnaden erfuhr eine andere Art von Belebung: Hier entstand seit Ende der 70er/Anfang der 80er Jahre ein Netz von unterschiedlich gestalteten Passagen für den »gehobenen Bedarf«, die als vielfältiger, auch architektonisch anspruchsvoller »Erlebnisraum« zum Treffen und Flanieren, zum Einkaufen und Essen, zum kulturellen Genuß und Verweilen einladen sollen.

Eine Tendenz zum Umdenken in Fragen des Umgangs mit alter Bausubstanz läßt sich an der Rettung der Fleetinselbebauung und der Häuser am Valentinskamp Anfang der 90er Jahre ablesen – viele Wohnbauten mit ähnlich schlechter Bausubstanz hatte man zehn Jahre vorher im Sanierungsgebiet um den Großneumarkt noch abgerissen.

Und schließlich stößt man in der Neustadt immer wieder auf den alten und doch noch aktuellen Konflikt zwischen Wohn- und Büronutzung: Den Neubau des »Springer«-Konzerns zwischen Valentinskamp und Kaiser-Wilhelm-Straße erlaubte ein Bebauungsplan von 1988, der andere große Hamburger Verlag, »Gruner + Jahr«, bekam von der Stadt die Fläche am Baumwall, die einst als Zufahrt für einen Elbtunnel gedacht war. Lokale Initiativen und Kommunalpolitiker hatten hier Wohnungsbau gefordert. Ein dritter, der »Spiegel«-Verlag, hat sein Bauvorhaben an der Gerstäckerstraße zurückgezogen, hier sollen nun Wohnungen und Büros entstehen.

*Zeugen der Stadterneuerungsmaßnahmen um den Großneumarkt:
ein Fachwerkhof an der Peterstraße und ein modernisiertes Etagenhaus an der Wexstraße*

Witnesses to the modernisation programme near Grossneumarkt: a trim half-timbered house and courtyard in Peterstrasse (left) and a modernised multi-storey building in Wexstrasse

Exemples de réhabilitation urbaine dans le quartier proche de Grossneumarkt: une maison à colombages, Peterstrasse (photo de gauche) et un immeuble ancien rénové, Wexstrasse

Das Museum für Hamburgische Geschichte, auf einer der ehemaligen Bastionen des Walls gelegen, bietet sich als Ausgangspunkt für einen Rundgang durch die nördliche Neustadt an. Gleich gegenüber, am Holstenwall 18, steht noch eines der wenigen Bauzeugnisse der jüdischen Geschichte: das Heinesche Wohnstift, ein barockisierender schloßartiger Bau mit ca. 50 Wohneinheiten für hilfsbedürftige Frauen aller Konfessionen. Therese Halle, geb. Heine, hatte 1866 zum Andenken an ihren 1844 gestorbenen Vater Salomon Heine zunächst in dessen Wohnhaus am Jungfernstieg ein Asyl eingerichtet. Nach Verkauf und Abbruch zugunsten der Hotels »Hamburger Hof« und »Streits« wurde die Stiftung 1902 in den Neubau am Holstenwall verlegt. Etwa ein Drittel der Wohnstiftungen des 19. und frühen 20. Jahrhunderts ging auf jüdische Wohltäter zurück, die Mehrzahl von ihnen nahm Bewerber ohne Rücksicht auf Religionszugehörigkeit auf.

Das Gebiet zwischen Hütten / Neuer Steinweg / Neanderstraße gehört zu den ersten Altbauquartieren, die in den 1970er Jahren saniert wurden. In diesem Zusammenhang hat man das schlichte klassizistische Wohnhaus Hütten 66 (1806 / 07) restauriert. In der Peter- und Neanderstraße ist durch das Engagement der Töpferstiftung ein Stück Alt-Hamburg wiedererstanden, das sich allerdings auf den zweiten Blick als Geschichtsklitterung erweist: Bürgerhäuser, wie die auf der Nordseite der Peterstraße (Nr. 28–36), hat es hier, auf dem Geestrücken fern von Wasserwegen, nie gegeben; kleine Bronzetafeln verraten, wo die Vorbilder dieser Nachbauten herkommen. Die für die Neustadt typischen alten Fachwerkhäuser, die hier den Krieg überdauert hatten, mußten dafür weichen. Ähnlich verfuhr man mit der Bausubstanz auf der gegenüberliegenden Seite: Die Fachwerkzeile ist zwischen 1967 und 1970 neu erstellt worden. Lediglich das barocke Mehrfamilienhaus Peterstraße 35 / 37 (1751) ist übriggeblieben, das mit seinen Hofflügeln (errichtet um 1760 / 1770) im 19. Jahrhundert vom Beylingstift für Altenwohnungen übernommen wurde. Die Hinterhäuser wurden im Zuge der Restaurierung des Beylingstifts erneuert und versetzt, sie vermitteln daher einen stark geschönten

Eindruck von den für die Neustadt charakteristischen Wohnhöfen. Der größere Teil der Gebäude dient heute als Altenwohnanlage. Im Obergeschoß des Barockhauses Nr. 35/37 sind Gedenkräume für Johannes Brahms eingerichtet. Zwischen dem Gebäude und Brahms besteht allerdings kein Zusammenhang. An sein Geburtshaus erinnert ein Gedenkstein am Spielplatz in der Speckstraße.

Das Doppelgiebelhaus an der Neanderstraße 22 verdient vermehrte Aufmerksamkeit, weil sein altes Vorbild noch steht (Alter Steinweg 51/53) und der Vergleich deutlich macht, was eine »originalgetreue Kopie« verändern kann.

Die vielen Neubauten rings um den Großneumarkt – zum großen Teil Sozialwohnungen – sind Resultat der mit den Stadterneuerungsmaßnahmen der 1970er Jahre beabsichtigten Absicherung des Wohnens in der Neustadt, die dazu beigetragen hat, daß heute immerhin noch an die 10 000 Menschen in diesem Stadtteil leben (1939 waren es 50 369, 1946 noch 28 666, 1970 nur noch 15 249).

Am Thielbek 13 steht noch ein Fachwerkgiebelhaus aus dem späten 18. Jahrhundert, dessen vier Eingänge auf die Erschließung älterer Mietshäuser hinweisen: Die beiden mittleren Türen führten in die Erdgeschoßwohnungen, die äußeren in die Sahlwohnungen in den Obergeschossen. Zusammen mit dem Nachbargebäude, einem schlicht-klassizistischen Putzbau aus der Mitte des 19. Jahrhunderts, dokumentiert es ein Stück »gewachsener« Baustruktur der Neustadt, ehe die Bauunternehmer Friedrich Herrmann und Ernst Wex 1866 das Quartier östlich vom Großneumarkt aufkauften, die alten Häuser niederrissen, eine Privatstraße anlegten und bis 1876 Neubauten errichten ließen. Die komfortablen gründerzeitlichen Etagenwohnungen, die auf diese Weise in der nach den Besitzern benannten Wex- und Brüderstraße entstanden sind, lassen keinen Zweifel daran, daß hier anstelle der alten Bewohner wohlhabendere Mieter eingezogen sind.

An das jüdische Gemeindeleben in der Neustadt erinnert auch das Hertz-Josef-Levy-Stift am Großneumarkt, ein schlichter Backsteinbau von 1855 mit Freiwohnungen für ältere und bedürftige Menschen.

Erst nach jahrelangen Auseinandersetzungen zwischen Denkmalpflegern und Baubehörde konnte das für die Neustadtgeschichte ungewöhnlich aufschlußreiche, barocke Mehrfamilienhaus am Alten Steinweg 51/53 gerettet werden. Der nach einer Beschädigung im Zweiten Weltkrieg abgetragene Doppelgiebel wurde

bei der Restaurierung durch den »Bauverein zu Hamburg AG« Ende der 1980er Jahre – als Rekonstruktion erkennbar – wiederhergestellt.

Die Kopie in der Neanderstraße 22 diente u. a. als Argument für den Abriß des Originals von 1762. Mit seiner rasterartig gegliederten Backsteinfront und dem barocken Doppelgiebel steht es für den anspruchsvolleren Mietshausbau in diesem Quartier. Der dahinter liegende »Paradieshof«, dessen Name von einer Darstellung des Paradieses auf einer Holzwand herrühren soll, wurde bereits in der NS-Zeit abgerissen. Über den Torweg und den Hof gelangte man zur kleinen Michaeliskirche – das Haus lag also im Gängesystem der Neustadt. Die Ladeneinbauten aus dem späten 19. Jahrhundert stehen offenbar im Zusammenhang mit der Aufwertung des Viertels durch die Gebrüder Wex, zumal der damalige Neubau der Alten-Steinweg-Passage direkt auf das barocke Mietshaus zuführte.

Über diese im Zuge der jüngsten Sanierung abgebrochene und nur noch durch ein Stahlskelett markierte Passage gelangt man zur Wexstraße und zum Großen Trampgang, dessen Enge dokumentiert, daß private

Hinter einer Toreinfahrt versteckt und gewerblich genutzt: die Überreste der Tempel-Synagoge in der Poolstraße

Hidden behind the gateway and now in commercial use: the partially-destroyed "Tempel" synagogue in Poolstrasse

Dissimulés derrière un porche et désormais utilisés à des fins profanes: les vestiges de la synagogue de la Poolstrasse

Bautätigkeit in den 1870er Jahren noch nicht durch staatliche Vorschriften über Abstandsflächen u. a. eingeschränkt wurde. Der Versuch, durch Öffnung der Blockränder, den Anbau von Balkons und die Begrünung der Innenhöfe die Wohnqualität zu verbessern, ist Teil der Stadterneuerungsmaßnahmen in den 1970er Jahren.

Die Wohnanlage zwischen Rademachergang und Neustädterstraße, die in den 30er Jahren als nationalsozialistische »Großtat auf dem Gebiet der Stadterneuerung« Schlagzeilen machte, wirkt durchaus konventionell. Die spitzgiebeligen Backsteinbauten mit Erkern und volkstümlichem Bauschmuck haben ihre Wurzel im Heimatstil nach der Jahrhundertwende (siehe S. 51), der in den 20er Jahren – neben dem Expressionsismus und dem Neuen Bauen – von der überwiegenden Zahl der Bauherren und Architekten in Form eines »unverbindlichen Traditionalismus« (H. Hipp) weitergeführt und von den Nationalsozialisten im Sinne ihrer Blut-und-Boden-Ideologie angeeignet wurde (Architekten: R. Klophaus, A. Puls u. a.).

Ein Platz mit Linden und einem Hummelbrunnen (Bildhauer: Richard Kuöhl) gibt dem Ganzen einen kleinstädtisch-heimeligen Charakter, der kaum etwas ahnen läßt von der Gewaltherrschaft, die dahintersteht. Die Bauträger waren der im sozialen Wohnungsbau erfahrene »Bauverein zu Hamburg« und die »Allgemeine Deutsche Schiffszimmerer-Genossenschaft«. An deren Geschichte erinnert ein Relief am Memelhaus, Breiter Gang 1–13.

Mitten im Gängeviertel wurde 1899 auf Initiative und mit finanzieller Hilfe der Patriotischen Gesellschaft (siehe S. 31) die erste öffentliche Bücherhalle eingerichtet. Seit 1901 bewilligte die Stadt einen regelmäßigen Zuschuß, um deren Unterhalt zu sichern. Der 1910 fertiggestellte Neubau wurde durch eine private Stiftung auf dem von der Stadt zur Verfügung gestellten Grundstück Kohlhöfen 21 ermöglicht. Die aufwendige Gestaltung der an Barockbürgerhäuser erinnernden Fassade und des Eingangsbereichs verleiht dieser Bildungseinrichtung Züge eines Repräsentationsbaus.

Hinter den Wohnhäusern Poolstraße 12/13 stehen Überreste einer Synagoge, die der israelitische Tempelverein zwischen 1842 und 1844 durch den Architekten Klees-Wülbern errichten ließ. Im Tempelverein hatten sich liberale und aufklärerische Juden zusammengeschlossen, die sich am protestantischen Gottesdienst orientierten und die Predigt in deutscher Sprache einführten. Die Lage im Hinterhof erklärt sich aus dem rechtlichen Status der Juden: Noch immer war das Reglement von 1710 wirksam, das die öffentliche Religionsausübung verbot. Bereits 1931, mit der Fertigstellung des Tempels an der Oberstraße, wurde diese Synagoge aufgegeben und wenige Jahre später verkauft. Nach Kriegszerstörungen haben sich hier Gewerbebetriebe niedergelassen. Die Umfassungsmauern und die Thoranische vermitteln eine Vorstellung von den räumlichen Dimensionen, die helle Putzfront mit klassizistischen, gotisierenden und maurischen Formen stellt einen Bezug zu Kirchenbauten her und wird als architektonischer Ausdruck für die gewünschte Integration interpretiert. Die Mietshäuser entstanden zusammen mit dem Synagogenbau. Über einen angemessenen Umgang mit diesem Zeugnis jüdischer Geschichte wird noch immer diskutiert.

Über die 1892 durchgebrochene, großstädtische Kaiser-Wilhelm-Straße erreicht man die um 1800 errichtete Häuserzeile am Bäckerbreitergang, ein typisches Beispiel für die vorindustriellen Unterschichtsquartiere: Buden und Sahlwohnungen mit den charakteristischen Dreitürengruppen. Die Buden, d. h. die Erdgeschoßwohnungen hatten jeweils eigene Eingänge, die Sähle, d. h. die Mietwohnungen im Obergeschoß, waren über die mittlere Tür zu erreichen.

Nach dem Verzicht der Stadt auf ein Schnellstraßenprojekt ist am Valentinskamp, im Schatten des Unilever-Hauses, ein letztes Ensemble der alten Neustadtbebauung erhalten geblieben. Das Fachwerkhaus Nr. 34 ist seit 1634 bzw. 1650 nachweisbar und damit eines der ältesten erhaltenen Wohnhäuser überhaupt. Den Kern bildet ein zweigeschossiges Doppelhaus, das im 18. Jahrhundert zu einem Mehrfamilienhaus umgebaut und im 19. Jahrhundert um das dritte Obergeschoß aufgestockt wurde. Bei der baugeschichtlichen Untersuchung stieß man auf eine Renaissancedeckenmalerei aus der ersten Hälfte des 17. Jahrhunderts und auf Rokokostukkaturen. Letztere sind – behutsam restauriert wie das ganze Gebäude – in dem Geschäft »Die Puppenstube« zu besichtigen. Der mehrgeschossige Fabrikbau von 1905 im Hof dahinter zeugt von der quartierstypischen Mischung von Wohnen und Gewerbe und zugleich von der rücksichtslosen Ausnutzung von Grund und Boden. Eine ähnlich dichte Bebauung verbirgt sich hinter dem Wohnhaus Nr. 36/38 (1860–1870), das in die Schiers-Passage, einen Durchgang zur Speckstraße, führt. Hinter dem reichverzierten klassizistischen Etagenhaus Nr. 40/42 (1860–1870) steht ein letztes Beispiel der Versammlungs- und Vergnügungslokale, wie sie seit dem 18. Jahrhundert bevorzugt hier in der nördlichen Neustadt zu finden waren: Tütjes Etablissement (seit 1866), das als Versammlungsort der Arbeiterbewegung bekannt war. Hier traf sich 1897 die SPD zu ihrem Parteitag, in den 20er Jahren zog die KPD ein.

Der wahrscheinlich nach einer früheren Weide benannte Gänsemarkt, ein dreieckiger Platz vor dem Westende des Jungfernstiegs, war nie ein Marktplatz, sondern lediglich ein Verkehrsknotenpunkt in Richtung Westen und zum Dammtor im zwischen 1615 und 1626 errichteten Festungswall. Nördlich davon lagen bis ins 19. Jahrhundert hinein der städtische Kalkhof und Gärten, am Gänsemarkt selbst von 1677 bis 1827 das alte Stadttheater. Daran erinnert noch das 1881 aufgestellte Lessing-Denkmal (Bildhauer: Friedrich Scharper), das den Dichter sitzend mit Blick auf das Theater, den Ort seines Wirkens von 1767 bis 1770, zeigt. Bei der Neugestaltung des Gänsemarktes 1985/86 hat man die Figur zur Gerhofstraße hin versetzt.

Die Gegend zwischen Dammtorstraße und Binnenalster wurde in den 1820er Jahren im Zusammenhang mit der Entfestigung der Stadt unter Baudirektor Wimmel neu geordnet und bebaut. 1826/27 wurde die Esplanade angelegt, gleichzeitig der Neue Jungfernstieg aufgeschüttet. Hier entstanden in den folgenden Jahrzehnten mehr oder weniger aufwendige klassizistische Stadtpalais oder biedermeierlich schlichte Wohnhäuser für das wohlhabende Bürgertum. An der Prachtpromenade des Neuen Jungfernstiegs steht noch eines der großbürgerlichen Palais (Nr. 19). Bankier Gottlieb Jenisch hat es zwischen 1831 und 1834 durch den Architekten Forsmann errichten lassen. Er gehörte zusammen mit seinem Bruder, dem Bausenator Martin Johann Jenisch, zu den reichsten Bürgern Hamburgs (der Bruder Martin Johann hatte bereits 1821 ein Stadthaus in den Großen Bleichen 23 gekauft und beauftragte ebenfalls den Architekten Forsmann mit dem Bau eines Landhauses in Klein-Flottbek). Die feingegliederte Putzfassade mit Sockel, Haupt- und Mezzaningeschoß gibt Hinweise auf die Räumlichkeiten: Im ersten Obergeschoß lagen neben den Wohn- und Speiseräumen der Familie die Repräsentationsräume, die »Salons« und der »große Saal«, daneben aber auch die Schlaf- und Ankleidezimmer der Herrschaften. Im darüberliegenden Mezzaningeschoß waren Gäste und Dienstboten untergebracht. Das Sockelgeschoß diente als Sitz der von beiden Brüdern betriebenen Firma. Das Palais wurde später an die Familie Amsinck verkauft, heute hat hier der Übersee-Club seine Räumlichkeiten.

Von den etwas weniger repräsentativen Stadthäusern in der Nachbarschaft ist nur Nr. 17a übriggeblieben. Das Hotel »Vier Jahreszeiten«, ursprünglich eine kleine Hotelpension, die sich nur durch seine Höhe und die späthistoristische Fassade von den klassizistischen Nachbarhäusern abhob, expandierte nach der Übernahme durch den schwäbischen Hotelier Haerlin 1897 nach und nach (zwischen 1903 und 1924) zu dem vornehmen Hotelkomplex, der heute die westliche Binnenalsterseite beherrscht.

Von der klassizistischen Wohnbebauung der Esplanade sind durch die sich seit der Jahrhundertwende ausdehnende City an der Nordseite nur Nr. 37 und einige Häuser auf der Südseite übriggeblieben: Nr. 14 bis 16 (heute von der Evangelischen Akademie Nordelbien genutzt), Nr. 17 bis 22 und 29 bis 31 (siehe S. 61). Der Neubau des Stadttheaters, der späteren Staatsoper an der Dammtorstraße (1826/27), war ebenfalls Teil der Neugestaltung dieses Quartiers und ging auf Baudirektor Wimmel zurück. Der im 19. und frühen 20. Jahrhundert mehrfach veränderte Theaterbau wurde bis auf das Bühnenhaus im Zweiten Weltkrieg zerstört. Die zwischen 1953 und 1955 neu errichtete Staatsoper (Architekt: Gerhard Weber) trägt mit ihrer gläsernen Front, den messingfarbenen Metallteilen und Kleinmosaiken typische Züge der Nachkriegsmoderne. Im Umfeld des Opernhauses, am Stephansplatz 2 bis 8, in der 1927/28 angelegten Großen und Kleinen Theaterstraße sowie in der Büschstraße finden sich noch einige klassizistische Stadthäuser (Nr. 9/10 bzw. Nr. 9).

Noch ehe die Geschäftsstadt in diesen Teil der Neustadt drängte, haben Bauspekulanten eingegriffen: Die Gebrüder Wex erhielten 1876 die Genehmigung, eine weitere Privatstraße, die Colonnaden, als Verbindung zwischen Dammtor und Jungfernstieg anzulegen. Bis 1879 entstanden hier repräsentative Etagenhäuser, die sich an der nordischen Renaissance orientieren, entworfen von arrivierten Architekten der Gründerzeit wie Grotjan, Elvers und Martens, Hauers und Hüser, die z. T. selbst Eigentümer waren und dort einzogen. Eine Reihe der Häuser wechselte als Anlageobjekte in den ersten Jahren mehrfach den Besitzer. Nach der Fertigstellung wurde die Straße von der Stadt übernommen; sie gehört zu den ersten zwecks Wiederbelebung der Innenstadt angelegten Fußgängerzonen (1974–1978).

Unter den Kontorhäusern, die seit der Jahrhundertwende um den Gänsemarkt und in der Dammtorstraße die klassizistische Wohnbebauung zu verdrängen begannen, seien nur einige erwähnt: die Schwan-Apotheke Nr. 27 (1911/12, Architekten: Jakob & Ameis), als Backsteinbau mit Erkern und Sprossenfenstern ein

Beispiel für den Heimatstil. Hier lohnt sich ein Blick hinter die Fassade: Das auf barocke Dielen anspielende Apothekeninterieur und die Keramikverkleidung des Treppenhauses sind erhalten. Letztere gibt ein Bild von der Dammtorstraße um 1850.

Fast gleichzeitig (1911–1913) entstand die Oberschulbehörde, Nr. 25, ein Verwaltungsbau von Fritz Schumacher, der mit seinem Doppelgiebel an die Bürgerhausarchitektur erinnert und mit seiner Größendimension neue Maßstäbe für die Dammtorstraße setzte. Auch das Verwaltungsgebäude der Finanzdeputation, die heutige Finanzbehörde (Gänsemarkt Nr. 36), geht auf Fritz Schumacher zurück. Es wurde anstelle eines klassizistischen Stadthauses von C. F. Hansen zwischen 1918 und 1926 errichtet und bildet mit seinem mächtigen Eckturm den städtebaulichen Knotenpunkt zwischen Valentinskamp und Gänsemarkt. Das vertikale Pfeilersystem und das Staffelgeschoß stellen den Klinkerbau in die Tradition Hamburger Kontorhäuser. Die expressionistischen Schmuckelemente am Turm, über dem Eingang und vor allem in der Halle (Entwurf: Richard Kuöhl) geben ihm eine zeittypische Note. Das Deutschlandhaus gegenüber am Valentinskamp/Ecke Dammtorstraße sprengt mit seinen horizontalen Fensterbändern die Hamburger Kontorhauskonvention

(1929, Architekten: Block & Hochfeld) und nähert sich dem internationalen Stil der 20er Jahre – der Bauherr war die Berliner »Ufa«, im Zentrum lag ein Großkino. Der heutige Bestand ist Ergebnis einer Rundumerneuerung von 1979–1981.

Am Gänsemarkt, in der Gerhof-, der Poststraße und am Jungfernstieg lassen sich noch weitere Varianten des Hamburger Kontorhauses vor allem aus der Zeit nach der Jahrhundertwende entdecken. Doch im Unterschied zur Altstadt konnte sich hier dazwischen noch eine Reihe von Wohnhäusern halten. Bis hin zu Raritäten wie Poststraße 35, einem bescheidenen Neorenaissance-Etagenhaus (1878–1880) auf einer schmalen Parzelle, an das sich ursprünglich noch ein Hinterhaus (eine sogenannte Terrasse) anschloß.

▲ *Die repräsentativen Etagenhäuser in den Colonnaden, von den Bauspekulanten Wex in den 1870er Jahren errichtet, sind heute noch eine gute Adresse.*

The elegant buildings in Colonnaden, constructed by a property speculator named Wex during the 1870s, still remain prestigious places to live.

Les immeubles des »Colonnaden« furent édifiés après 1870 par un spéculateur immobilier du nom de Wex et constituent de nos jours encore une excellente adresse.

▼ *Zwei Varianten der internationalen Moderne: das Deutschlandhaus der Berliner Ufa am Gänsemarkt (1929) und das Unileverhochhaus am Valentinskamp (1961)*

Two variations on »International Modern« architecture: the »Deutschland-Haus« at Gänsemarkt (1929), home of the Ufa cinema, and the Unilever Tower at Valentinskamp (1961)

Deux variantes de construction moderne: la »Deutschlandhaus« d'Ufa sur le Gänsemarkt (1929) et l'immeuble d'Unilever, Valentinskamp (1961)

Das plüschige Interieur des Alsterpavillon vor der Renovierung

The plush interior of the Alster Pavilion before its renovation

L'intérieur feutré de l'Alsterpavillon avant sa rénovation

Jungfernstieg und Alsterpavillon

Die berühmteste Promenade Hamburgs, der Jungfernstieg, war ursprünglich ein Mühlendamm namens Reesendamm, der seit etwa 1235 die Binnenalster aufstaute und bis zum Großen Brand von 1842 Standort von Mühlen geblieben war. Den Charakter einer Promenade bekam er 1665, als er verbreitert, bepflastert und mit einer Doppelreihe Linden bepflanzt wurde.

Nach dem Großen Brand entstanden hier moderne Wohnhäuser mit eleganten Läden und vornehmen Hotels (siehe S. 23 ff.). Seit dem späten 19. Jahrhundert verdrängten Geschäftshäuser die früheren Wohnbauten, unter ihnen das Alsterhaus, das ehemalige Warenhaus Tietz (1911 / 12 von Berliner Architekten entworfen) und die Dresdner Bank, Nr. 22 (1896–1899, Architekt: Martin Haller), ein repräsentativer Neorenaissancebau mit einem zweigeschossigen Arkadenhof als Schalterhalle.

Eng mit der Promenade verbunden ist die Geschichte der insgesamt sieben Alsterpavillons, die an dieser prominenten Stelle immer ein Zentrum gesellschaftlichen Lebens waren. Sie zählen zu der kurzlebigen, den raschen Wechsel der Moden unterworfenen Vergnügungsarchitektur. Dem ersten, einem eingeschossigen Holzbau von 1799, erging es wie seinen Nachfolgern: Sie wurden nach 20 bis 30 Jahren durch einen größeren ersetzt. Auch der Abriß des Anfang 1994 wiedereröffneten Alsterpavillons stand zur Debatte. Doch die Denkmalpfleger haben ihn als ein typisches Beispiel der 50er-Jahre-Architektur retten können.

Der Vorgängerbau von 1914 war 1943 den Bomben zum Opfer gefallen. Auf dessen Fundamenten errichtete der Architekt Max Gerntke 1950 ein schlichtes, eingeschossiges Provisorium. Aus den Plänen dieses Architekten entwickelte Ferdinand Streb einen Neubau, der rechtzeitig zur Internationalen Gartenbauausstellung 1953 eröffnet wurde und den Theodor Heuss damals »die schönste Gaststätte, die ich kenne« nannte.

Der gläserne, in goldfarbene Leisten gefaßte Pavillon mit seinem zur Alster hin ansteigenden geschwungenen Flachdach ruht auf schlanken, blaugrünen Säulen und auf dem massiven Unterbau seines Vorgängers. Zum Jungfernstieg hin erscheint er eingeschossig. Die Verbindung zur Promenade stellt eine Terrasse her, eine großstädtische Bühne für das Wechselspiel von Zuschauer und Akteur, von Sehen und Gesehenwerden. Ein ausfahrbares Dach läßt an den konstruktiven Futurismus eines Corbusier denken, bei dem Ferdinand Streb praktiziert hat, aber zugleich an die ganz alltäglichen Beeinträchtigungen von Terrassengästen durch das Hamburger Wetter.

Auf der Wasserseite gibt die großzügige gläserne Rundung den Blick frei auf das Alsterpanorama – und verleiht damit dem internationalen Stil der Architektur ein spezifisch hamburgisches Flair. Die Innenräume hatten ohnehin wenig zu tun mit der Helligkeit und Transparenz der Nachkriegsmoderne und spiegelten doch den traditionalistischen Geist der 50er Jahre, der allzu oft übersehen wird. Insofern war der Alsterpavillon gerade in seiner Widersprüchlichkeit zeittypisch. Bei der Instandsetzung verschwand der Plüsch, wurde der Strebsche Entwurf unter der Anleitung des Künstlers und Hochschullehrers Franz Erhard Walther neu interpretiert. Die Kronleuchter und fischförmigen Lämpchen, die eingebauten Decken- und Wandleuchten, die Glastür im Untergeschoß sind als Bauteile oder als ästhetische Fundstücke einer vergangenen Zeit einbezogen. Zu letzteren gehören auch die aus dem Alsterpavillon der Jahrhundertwende stammenden Meißner Wandfliesen mit Hamburg-Motiven im Untergeschoß.

Wiederbelebung und neue Urbanität – Die Hamburger Passagen

Wesentlich geprägt wird dieser Teil der Neustadt allerdings von den Neubauaktivitäten der letzten zwei Jahrzehnte, die als Versuch einer »Wiederbelebung der Innenstadt« und Ausdruck einer »Neuen Urbanität« verstanden werden. Die Wiederentdeckung der Passage, die einst von Paris aus die europäischen Metropolen erobert hatte, gilt als Indiz dafür. In wenigen Jahren entspann sich ein Netz von »trockenen Wegen« (insgesamt 1100 Meter) mit ganz verschiedenartiger Gestaltung des für diese Bauten typischen Wechselspiels von innen und außen, von privatem und öffentlichem Raum, von Flanier- und Verkaufsort. Die Unterschiedlichkeit von Materialien und formalen Lösungen macht den Reiz dieser neuen Ladenstraßen aus.

Bei näherer Betrachtung lassen sich zwei Generationen von Ladengalerien unterscheiden: solche, die ohne Tageslicht dem Shop-in-Shop-Prinzip folgen – z. B. die Gerhofpassage (1975–1978, später umgebaut; Architekten: Schramm, Pempelfort, von Bassewitz, Hupertz) – und »echte Passagen« mit Glasüberdachung, deutlich abgegrenzten Ladenzonen und klarer Orientierung durch Blickachsen. Ein frühes Beispiel für den zuletzt beschriebenen Typus ist die Gänsemarktpassage (1976–1979, Architekten: Graaf, Schweger u. Partner), deren Gestaltung der Industriearchitektur entlehnt ist. Transparente Geländer und verglaste Öffnungen in den unteren Schaufensterbereichen erlauben den Durchblick durch alle drei Geschosse. Die Auffindbarkeit der einzelnen Geschäfte mit den einheitlich gestalteten Ladenfronten erleichtern Firmenschilder, die in den Passagenraum hineinragen. Das Oberlicht weist auf den Ausgang zu den Colonnaden.

»Im Neuen Gänsemarkt« (1978–1980, Architekten: Planungsgruppe medium) gruppierten sich Läden unterschiedlichster Machart um einen durch ein Glasdach belichteten gepflasterten Platz. Diese erste Fassung mit »Blockhäusern« und »Wellblechbaracken« wurde kürzlich entfernt zugunsten einer einheitlich hellen Gestaltung.

Auf eine Mischung zwischen Shop-in-Shop-Prinzip und Passage trifft man im Hamburger Hof (1976–1979, Architekt: H. J. Fritz) zwischen Jungfernstieg und Poststraße. Das anstelle von Sillems Bazar 1882 errichtete und nach einem Großbrand 1917 in ein Geschäftshaus umgebaute Hotel wurde völlig entkernt. In der zweigeschossigen Ladenzone herrscht trotz Glasüberdachung künstliches Licht vor. Die bewußt sehr unterschiedliche Gestaltung der Geschäfte soll das Wiedererkennen erleichtern.

Das konsequenteste Beispiel einer Passage als Abkürzung der Wege, als Kommunikationsort und Raum zum Flanieren haben die Architekten Gerkan, Marg & Partner mit dem Hanseviertel geschaffen (1978–1980). Die glasüberdachte Flanierzone dominiert gegenüber den Läden, erlaubt Blickbezüge nach außen – gibt dadurch klare Orientierungen und lädt an zwei »Plätzen« unter Glaskuppeldächern zum Verweilen ein. Diese bilden zugleich die Gelenkpunkte für abzweigende »Wege«. Kein Firmenschild, kein Kleiderständer, keine Reklame soll den Raumeindruck stören. Die Grenze zwischen Schaufenster und Passage wird deutlich markiert durch das Pflaster. Die Passage ist hier verstanden als quasi öffentlicher Ort, in dem das Prinzip der »urbanen Wahlfreiheit« statt »merkantiler Übertölpelung« angesagt ist. Doch so ganz ohne »Lockmittel« kommt auch dieses Konzept nicht aus: Ein Lebensmittelmarkt im Inneren soll auch Leute mit Alltagsbedarf anziehen.

Auf unterschiedlichste Weise spürten die Architekten dem »Genius loci« nach: Das Baumaterial Backstein verbindet das Hanseviertel mit der »Alten Post« und dem »Hotel Ramadan«, dem ehemaligen Sitz des »Broscheck«-Verlages, einem Hauptwerk des Expressionismus von Fritz Höger (1926). Durch das gewölbte Glasdach entdeckt man nordisch-maritime Küstenlandschaften an den Brandgiebeln der Altbauten. Im Innern zählen bronzene Fußbodenintarsien die Hansestädte auf, werden Urkundentexte und Ladungslisten von Koggen zitiert. Unter der kleinen Kuppel markiert eine Kompaßrose die geographische Länge und Breite.

Die Galleria in den Großen Bleichen Nr. 21, zwischen 1978 und 1982 an der Stelle einer der letzten Stadtvillen errichtet (Architekten: H. Ruppert, R. u. T. Haussmann), paßt sich dagegen nur mit der hellroten bis gelben Klinkerfassade an die Umgebung an. Im Innern überrascht schwarzweißer Marmor an Wandpfeilern und auf dem Fußboden. Graue Granitzonen markieren die Läden, die hinter den Pfeilern verschwinden. Auch hier bleibt die Einheitlichkeit des glasüberdeckten Raumes streng gewahrt, selbst die Leuchten fügen sich als Quader ein. Die Individualität der Geschäfte entfaltet sich erst, wenn man unmittelbar

Architektonische Variationen des Themas Passage: Die Galleria
Links: Die Gänsemarktpassage
Rechts: Das Hanseviertel

Architectural variations on the »arcade« theme:
Top: Galleria
Middle: Gänsemarkt
Right: Hanseviertel

Variations architecturales autour du thème »Galeries marchandes«: En haut: »Galleria«
A gauche: »Gänsemarktpassage«
A droite: »Hanseviertel«

*Eigenwillig und anpassungsfähig: der Neubau der Hypo-Bank (1987–1989)
ABC-Straße 13*

Individualistic and adaptable: the new Hypo-Bank building (1987–1989) at 13 ABC-Strasse

Une construction hardie, le nouvel immeuble de la »Hypo-Bank« (1987–1989), ABC-Strasse 13

davorsteht. Farbigkeit, Material und Bogenmotive »à la Palladio« im Obergeschoß sind Bauten der italienischen Renaissance entlehnt; ein Vorhang aus Marmor, eine reizvolle Materialspielerei betont die Grenze zwischen innen und außen.

Während das Kaufmannshaus, ein zwischen 1975 und 1978 umgebautes altes Kontorhaus (Architekten: Schweger & Partner), mit seinen eigenwilligen und ganz unterschiedlichen Ladenbereichen mehr dem Shop-in-Shop-Prinzip entspricht, ist mit dem Bleichenhof gegenüber noch eine späte Passage entstanden (1980–1990, anstelle eines Parkhauses, Architekten: Nietz, Prasch und Sigl). Die Fassade – wiederum Backstein – folgt an der Bleichenbrücke dem Gliederungsschema von Kontorhäusern (siehe S. 35), während sie an den Großen Bleichen das dahinterliegende Parkhaus verrät. Ein runder Eckturm lockt die Passanten und leitet sie zum Eingang an den Großen Bleichen. Der weite Innenraum mit dem asymmetrisch geschwungenen Glasdach wirkt durch die Vielfalt seiner Materialien: Messing und Chrom, Glas und Stahl und immer wieder Natursteine verschiedenster Art, poröse und glatte, polierte und matte – Ausdruck einer »high quality«, einer »wohlkalkulierten Welt kühlen Reichtums« (D. Mayhöfer) und ein ins Auge fallender Kontrast zur »sachlichen«, an Industrie- und Speicherbauten erinnernden Materialkombination des gegenüberliegenden Hanseviertels. Neben Geschäften mit exklusiv-teurem Angebot hat hier an der Ecke zum Bleichenfleet auch eines der alteingesessenen hamburgischen Fachgeschäfte angemessene Räumlichkeiten gefunden: Dr. Götzes Buchhandlung »Land & Karte«, die dazu beiträgt, daß hier nicht nur Bummler und Flaneure ein- und ausgehen. Ein gläserner Aufzug in kristalliner Form führt in ein Restaurant am Fleet mit einer Sommerterrasse am Wasser.

Bei aller Schaulust ist aber nicht zu übersehen: Die Passagen sind – im Unterschied zur Straße – privater Grund und Boden, optimal ausgenutzt und weitgehend reglementiert. Kein Musiker, der nicht bestellt wäre, kein Redner, der Leute um sich schart, und nirgendwo ein Platz für »Penner« oder Bettler.

»Schöne Fassaden, feine Schaufenster, edle Treffs und arrivierte Leute«
(Hamburger Abendblatt, 3./4. 12. 1988)

Wie die Gegend um die Großen Bleichen, so ist auch das Gebiet um die ABC-Straße – auf der Grundlage eines 1983 beschlossenen Bebauungsplans – durch Neubautätigkeit und Altbaumodernisierung zu einem Viertel exklusiver Homogenität avanciert. Die späthistoristischen Läden an der ABC-Straße Nr. 4 und an der Ecke Hohe Bleichen 23/ABC-Str. 10 beherbergen heute internationale Modegeschäfte; die biedermeierlich klassizistischen und z. T. später veränderten Häuser an der 1831 angelegten Neuen ABC-Straße – mit dem ältesten Schaufenster Hamburgs (um 1850) an der Ecke ABC-Straße Nr. 50 – sind Sitz anspruchsvoller Antiquitätenläden. Zu dieser Umstrukturierung haben aber vor allem die Neubauten beigetragen: das mit historisierenden Versatzstücken angereicherte »Marriott-Hotel« (1979–1988, Architekten: Schramm, v. Bassewitz, Hupertz) und der von den gleichen Architekten zwischen 1986 und 1988 ausgeführte Ansgarhof am Valentinskamp 18/20, der sich mit Staffelgeschossen und Backstein an die von Fritz Schumachers Finanzbehörde vorgegebene »städtebauliche Kleiderordnung« hält (W. Bachmann).

Eigenwillig dagegen wirkt der Neubau der Hypobank, ABC-Str. 13 (1987–89) (Architekten: Dietrich und Herrmann, Köln). Elf schlanke weiße Säulen folgen der Krümmung der Straße und heben die Schauseite des Gebäudes über den engen Straßenraum empor. »Weiß und etwas arrogant wie ein Schwan« wirkt dieser helle Putzbau in der Backsteinstadt (A. Richter). In dieser Gegend lohnt übrigens auch der Blick nach ganz oben.

Etwas wirklich Exklusives wollte ein schwedischer Konzern mit dem Doormanhaus, ABC-Str. 44, schaffen: ein Appartementhaus mit Empfangspersonal für »Sicherheit und Service«, wie man sie aus New York, London oder Paris kennt (1990–1992, Architekten: Schramm, v. Bassewitz, Hupertz & Partner). Ursprünglich, d. h. noch bei einem städtebaulichen Wettbewerb 1979, waren hier Sozialwohnungen vorgesehen. Von der ABC-Straße durch eine Ladenzone abgeschirmt, umschließt das Doormanhaus halbkreisförmig eine Piazza und wirkt mit seinen grauweißen Ziegeln und türkisfarbenen Metallapplikationen eher zweckmäßig kühl als luxuriös. Doch die Mieten von 40 Mark pro Quadratmeter sprechen für sich.

Die südliche Neustadt

Mit der Erkundung der südlichen Neustadt beginnt man am besten an der St.-Michaelis-Kirche. Sie wurde nach der Zerstörung eines Vorgängerbaus durch Blitzschlag zwischen 1751 und 1762 nach Entwürfen von Johann Leonhardt Prey und Ernst Georg Sonnin errichtet. Letzterer schuf den kupferverkleideten Turmaufbau (1777–1786), der zum Wahrzeichen Hamburgs geworden ist. Nach der Zerstörung durch einen Brand (1906) entschied man sich für die Rekonstruktion dieses bedeutenden protestantischen Kirchenbaus des Barock. Der Innenraum hat im Prinzip die traditionelle Struktur einer dreischiffigen Halle. Doch die geschwungene Empore macht daraus einen Zentralraum, eine Predigtkirche im Sinne des Protestantismus, in der man von allen Seiten einen freien Blick auf die Kanzel hat. Der Vorgängerbau von 1648–1661 war im Zusammenhang mit der Stadterweiterung entstanden. Den Status eines gleichberechtigten Kirchspiels hat das Quartier um St. Michalis erst 1685 erhalten.

Am Krayenkamp 10/11 steht der letzte Gängeviertel-Wohnhof. Das Krameramt, die zünftige Organisation der Kleinhändler, hatte 1676 das Grundstück mit einem Land- und Gartenhaus erworben und auf dem Gartengelände zwei Hofflügel mit insgesamt zehn Wohnungen für Witwen verstorbener Amtsbrüder errichten lassen. Die bereits vorhandenen Häuser (a, m und n) blieben stehen. Deren stark vorkragendes Fachwerk zeigt, daß es sich um ältere Bauten handelt. Nach der Einführung der Gewerbefreiheit ging das Anwesen in den Besitz der Stadt über und war bis 1969 als Altenwohnanlage genutzt. Seit der Instandsetzung Anfang der 70er Jahre ist es eine der Touristenattraktionen Hamburgs. Ein Haus ist mit Mobiliar aus der Zeit um 1850/1860 als Witwenwohnung eingerichtet. Es bot ursprünglich Unterkunft für zwei Frauen, die sich die offene Flurküche teilen mußten. An einer Hauswand hängt eine Tafel mit dem Zunftzeichen der Kramer, einer Balkenwaage und einer Elle.

Solche Wohnhöfe, allerdings oft höher bebaut und viel dichter belegt, prägten die Neustadt, ehe der Senat zu Beginn dieses Jahrhunderts mit der Sanierung begann (siehe S. 58).

Der Wohnkomplex der Allgemeinen Deutschen Schiffzimmerer-Genossenschaft in der Martin-Luther-Straße, ein Beispiel für den Heimatstil, ist ein Resultat dieser Maßnahmen. Unter Verzicht auf Hinterhäuser, in einer Art Blockrandbebauung, wurden hier 1913/14 vorbildliche Wohnungen geschaffen.

Im ersten Sanierungsabschnitt südlich des Venusbergs, der häufig von Hochwasser heimgesucht und deshalb aufgeschüttet worden war, entstand die fünfgeschossige Wohnanlage Eichholz 23–27 des »Bauvereins zu Hamburg« (1903). Die hufeisenförmigen Hoföffnungen zur Straße hin (»Hamburger Burg«) sind eine für genossenschaftliche und gemeinnützige Bauträger charakteristische Form der Erschließung von Grundstücken. Sie erlaubt auch ohne Hinterhäuser eine intensive Ausnutzung des Baugrundes und verbindet auf diese Weise Aspekte der Wirtschaftlichkeit mit wohnreformerischen Absichten. Die etwas später errichtete Wohnanlage des Bauvereins am Herrengraben 54–63/Rehhoffstraße ist ebenfalls nach dem Schema der »Hamburger Burg« angelegt (1912/13).

Das Gebäude Ecke Herrengraben/Rehhoffstraße berücksichtigte als Ledigenheim mit Einzelzimmern und Gemeinschaftseinrichtungen die besondere Wohnungsnot alleinstehender Arbeiter, zumal das Untervermieten an Schlafgänger in den Neubauten ausdrücklich

◀ *Das Backsteinrelief im Torweg der Wohnanlage Martin-Luther-Straße 14–18 weist auf die Geschichte der Schiffszimmerer-Genossenschaft hin.*

The brick relief in the gateway of 14–18 Martin-Luther-Strasse depicts the history of the »Schiffszimmerer« housing association.

Le bas-relief en brique placé dans l'entrée de l'ensemble résidentiel N° 14–18, Martin-Luther-Strasse évoque l'histoire de la guilde des charpentiers de marine.

▶ *Moderne Bürobauten im alten Hafenquartier der Neustadt: Oben: Zwischen Wohnhäusern der Jahrhundertwende ein Stahlskelettbau im roten »Passepartout«. Unten: Die vier Südfronten des Medienkonzerns Gruner + Jahr.*

Modern office blocks in the old port district.

Bureaux modernes dans le quartier de la Ville Neuve proche du port.

WC S-Bahn Station

▲ Neue Räumlichkeiten im alten Bestand: das Treppenhaus des Elbhofes am Steinhöft (umgebaut 1990/91)
▶ Die Fassade des Elbhofes (1904/05)

New interior in an old building: the stairway in the Elbhof at Steinhöft (reconstructed 1990/91)
Right: The Elbhof's façade (1904/05)

Réaménagement de l'espace: la cage d'escalier de l'»Elbhof« (transformée en 1990/91). Page de droite: la façade de l'Elbhof

verboten war. Letzteres zählt zu den Gründen für das Scheitern der Sanierungsziele. Die Neubauten waren für die Gelegenheitsarbeiter im Hafen ohnehin viel zu teuer, und selbst für die Mitglieder der Bauvereine und Genossenschaften ohne Untervermietung kaum zu bezahlen.

In der Ditmar-Koel-Straße weisen heute noch die Seemannskirchen darauf hin, daß wir uns hier im Hamburger Hafenviertel befinden. Die Gustav-Adolph-Kirche (1906/7) im Stil der hansestädtischen Backsteingotik steht auf einem Gemeindehaus, das den schwedischen Seeleuten auch Unterkunft bot.

Die finnische Seemannsmission (Ditmar-Koel-Straße 6), die norwegische (Nr. 4) und die dänische Seemannskirche (Nr. 2) entstanden im Zuge des Wiederaufbaus nach dem Zweiten Weltkrieg.

Die Etagenhäuser in dieser Gegend stammen aus der Zeit der Sanierung und sind vorwiegend Spekulationsbauten. Zum Johannisbollwerk und zu den Vorsetzen ist die Kontornutzung schon um die Jahrhundertwende vorgedrungen, ein Beispiel dafür ist der Hafenhof, Vorsetzen 53 (1902).

Die Umstrukturierung dieses traditionellen Wohnquartiers, das mit seinen vielen portugiesischen und spanischen Restaurants, seinen Export- und Importgeschäften und Schiffsausrüstern noch immer das Flair eines Hafenviertels hat, ist vor allem in den letzten Jahren unübersehbar geworden. Dem Büroneubau des Verlagshauses »Gruner + Jahr« am Baumwall und dessen 2000 Mitarbeitern sind noble Restaurants, neue Kneipen, Boutiquen und Delikateßläden, aber auch Immobilienverkäufe und entsprechende Mieterhöhungen gefolgt.

Auf dem Wege zu dem Medienkonzern am Baumwall sollte man beim Johannisbollwerk Nr. 16 innehalten. Dort haben die Architekten von AFB (Beisert / Findeisen / Galledary / Großmann-Hensel / Wilkens) kürzlich eine Baulücke geschlossen und den Stahlskelettbürobau dabei in ein rotes »Passepartout« gestellt, die Lückenschließung quasi zum Thema gemacht. Links gibt dieser Rahmen den Blick frei auf ein überdachtes Atrium, das umgekehrt den Büronutzern im hinteren Gebäudeteil Aussicht auf die Elbe verschafft. Rechts wird der Abstand zu den Nachbarhäusern durch einen Rücksprung der Fassade erzielt.

An den Vorsetzen entlang führt die als Viadukt angelegte Hoch- und Untergrundbahn, die seit 1912 als »Ringlinie« zwischen Barmbek und den Landungsbrücken verkehrte (heute als U3 und U2). Die Haltestelle am Baumwall besticht durch ihre strenge Eisen-Glas-Konstruktion, die – im Unterschied zu anderen Bahnhöfen – als Arbeitsstation auf jede zusätzliche künstlerische Gestaltung verzichtet.

Wie das moderne Massenverkehrsmittel, so ist auch das in Jugendstilformen gehaltene Einstiegshäuschen in das zwischen 1899 und 1904 angelegte Geest-Stammsiel, ein Hauptstrang der Kanalisation, ein Zeugnis der Großstadtinfrastruktur des Industriezeitalters.

Am Baumwall beherrschen seit 1990 die vier Südfronten des Verlages »Gruner + Jahr« die Szenerie. Auch wenn die Münchner Architekten Steidle und Kießler mit bullaugenähnlichen Fenstern, Balkonen, die an Relings und Schrägstützen, die an Kräne denken lassen, vielfältige formale Bezüge zum Hafen herstellen und in den als Kommunikationsorte gedachten Gängen und hofartigen Räumen zwischen den Häuserzeilen Erinnerungen an die alten Gängeviertel wachrufen wollten: Der Neubau der Medienstadt im ehemaligen Hafenquartier macht unmißverständlich deutlich, daß sich die wirtschaftliche Basis der Hansestadt verlagert hat.

Über den Baumwall, dessen Name von einem schwimmenden Baum als Absperrung des Binnenhafens im Bereich der Niederbaumbrücke herrührt, gelangt man zum Steinhöft und dem mächtigen Backsteinrohbau der Reederei Robert M. Sloman (Architekten: Martin Haller und Hermann Geißler 1908 / 09), der ein angemessenes Gegenüber zur Speicherstadt bildet.

Der Eingang Steinhöft 11 führt in ein holzvertäfeltes Treppenhaus mit expressionistischen Arkaden zu einem Erweiterungsbau des Architekten Fritz Höger von 1921.

Hinter der barockisierenden Granitfassade des Elbhofes, Steinhöft 9 (1904 / 05, Architekt: Walter Martens) haben die Architekten des Medienhauses und des Eisenstein in Ottensen, Peter Dinse, Isabell Feest und Johann Zurl im Auftrag der Werbeagentur Scholz & Friends 1990 / 91 die Neuinterpretation eines alten Kontorhauses vorgeführt. Elemente des historischen Bestandes wie die Treppe mit schmiedeeisernem Geländer und feuersicher ummantelte Gußeisensäulen werden mit trennenden oder verbindenden Glas-, Stahl- oder Holzteilen zu immer wieder verblüffenden Räumlichkeiten kombiniert.

Zwischen dem Alsterfleet, dem Stadtgraben aus dem 13. Jahrhundert und dem Herrengrabenfleet, dem Wasserlauf vor dem Neuen Wall von 1530 bis 1538, verläuft die nach dem Zeughaus der Admiralität benannte Admiralitätsstraße. Sie wurde 1772–74 angelegt, nachdem das Herrengrabenfleet schiffbar und damit das Areal des ehemaligen Walles für den Handel nutzbar gemacht worden war. In Abschnitt zwischen Ost-West-Straße und Heiligengeistbrücke konnte Anfang der 1990er Jahre ein Ensemble von Wohnhäusern, Kontoren und Speichern des 19. Jahrhunderts gerettet werden, das wegen der Abbruchpläne des Senats jahrelang als »Fleetinsel« Schlagzeilen machte.

Den Kopfbau an der Michaelisbrücke 1/3 bildet das Neidlingerhaus von 1885/86 (Architekt: J. Grotjan), ein Neorenaissancebau für Kontore sowie Wohnungen in den Obergeschossen, wie es für diese Anfangszeit des Kontorhausbaus charakteristisch ist.

Das klassizistische Wohnhaus Nr. 75 (um 1860) bildet zusammen mit dem rückwärtigen Backsteinspeicher von 1896 und dem Neidlingerhaus einen beeindruckend dichtbebauten Wohn- und Gewerbehof.

Der Figurenschmuck an der vornehmen Werksteinfassade des Hauses Nr. 73 (1913, Architekt: G. Krauss) bezieht sich auf die Gewinnung von Holz und Papyrus – die Rohstoffe für die Papierherstellung – und gibt damit Hinweise auf die hier ansässige Papierhandelsfirma Michaelis. Der dazugehörige Speicher stammt im wesentlichen wohl aus dem späteren 19. Jahrhundert, die Holzständerkonstruktion im Inneren geht wahrscheinlich noch auf das 18. Jahrhundert zurück.

Hinter der nach dem Zweiten Weltkrieg vereinfachten Fassade des Hauses Admiralitätstraße 71/72 verbirgt sich eines der ältesten reinen Kontorhäuser (1889–1891, Architekten: Bahre, Querfeld). Das rückwärtiges Backsteingebäude enthielt ein Musterlager.

Die Fleetbebauung des ausgehenden 19. Jahrhunderts diente also vorwiegend Kontor- und Lagerzwecken, das Wohnen wurde auch hier weitgehend zurückgedrängt. Ein Vergleich mit dem Ensemble an der Deichstraße macht darüber hinaus die veränderten Größendimensionen deutlich.

Noch ehe Stadtplaner und Politiker die Fleetinsel und die Grundstücke darum herum als optimale Standorte für Hotels und Büros entdeckten und eine neue städtebauliche Verbindung zwischen Alster und Elbe anvisierten, waren Musiker und Maler, Galeristen und Theatermacher eingezogen und hatten die alten Gebäude in eine Künstlerkolonie verwandelt. Ihrer Hartnäckigkeit und dem Engagement einiger »Denkmalkenner« ist es vor allem zu danken, daß die Fleetinsel heute noch ein Ort vielfältigen kulturellen Lebens ist.

Inzwischen sind auch zwei der Großprojekte realisiert. Das »Steigenberger Hotel« (Architekten: v. Gerkan, Marg & Partner) am Alsterfleet gibt sich gediegen und konventionell, steht mit seiner Backsteinfassade, der betont vertikalen Gliederung und den Staffelgeschossen in der Tradition des Högerschen Backsteinexpressionismus der 20er Jahre.

Der Fleethof, ein Bürohaus mit großzügigem, dreieckigem Lichthof und einer passagenartigen Ladenzone (1991–93, Architekten: B. Winking, Patschan & Winking), variiert das Thema Glas und Backstein. An der Fleetseite dominiert – wie in Hamburg üblich – der Ziegel, an der Straßenseite, gegenüber dem »gewichtigen« Stadthaus (1888–92), das »leichte« Glas, an den Ecken wird mit beiden Materialien gespielt. Mit den geschwungenen Linien und der Betonung der Horizontalen am Fleet sowie der Verwendung des Backsteins als »Haut« bezieht sich der Architekt auf die Moderne der 20er Jahre, wie sie in Hamburg durch das Deutschlandhaus am Gänsemarkt vertreten ist (siehe S. 66). Der Fleethof ist inzwischen mehrmals verkauft, aber noch nicht vermietet worden.

Sowohl durch den Hotelbau als auch durch das Bürohaus wird die Fleetlage neu interpretiert. Während die alten Speicher, um die Waren aufzunehmen, direkt an der Wasserstraße liegen, trennen Arkadengänge für Fußgänger die Neubauten vom Wasser und tragen damit der heutigen Funktion der Fleete, ihrem – sehr städtischen – Freizeitwert Rechnung.

Der Fleethof nimmt Rücksicht auf die Fluchtlinie des Neuen Walls, leitet die Passanten über einen Arkadengang auf einen neu geschaffenen Stadtraum, den »Fleetmarkt«. Eine städtebaulich umstrittene Lösung, denn die wichtige alte Straßenverbindung zwischen Alt- und Neustadt, die von der Steinstraße über den Großen Burstah zum Alten und Neuen Steinweg und zum Millerntor führte, wurde damit – zumindest ästhetisch – gekappt. Die Ellerntorsbrücke – 1668 anstelle des zugleich abgebrochenen »alten« Millerntors errichtet – stößt auf den Eingang zum Fleethof. Dieser ist zwar als Passage gedacht, doch die alten stadträumlichen Bezüge

◀ *Das Neidlingerhaus, ein für die Entstehungszeit (1885/86) typisches Geschäftshaus mit Wohnungen in den Obergeschossen.*
▼ *Kontore und Speicher am Herrengrabenfleet. Letztere dienten (nach dem Bau der Speicherstadt) eher als Muster- denn als Massenlager.*

The »Neidlingerhaus«, typical of the commercial buildings of its day (1885/1886). The upper storeys are residential.
Bottom: »Counting-houses« and warehouses by the Herrengraben Canal. After the construction of the »Speicherstadt«, the latter were used to store samples rather than bulk goods.

En haut: La »Neidlingerhaus« est caractéristique de l'époque de sa construction (1885/86): magasins en bas, logements dans les étages supérieurs.
En bas: Comptoirs et entrepôts le long du canal Herrengraben. Après la construction de la »Cité des entrepôts«, ces locaux ont surtout servi au stockage d'échantillons.

▲ *Zwei der neuen Großbauten auf der Fleetinsel: links der Fleethof, rechts das Hotel Steigerberger*

Two new major constructions on the »Fleetinsel«: to the left the »Fleethof«, on the right Hotel Steigenberger

Deux des nouveaux immeubles édifiés sur la »Fleetinsel«: à gauche, le »Fleethof«, à droite, l'hôtel Steigenberger

◀ *Ein Blickfang am Herrengraben 74: der Ost-West-Hof*

The Ost-West-Hof. Striking architecture at 74 Herrengraben

Un bel édifice au N° 74 Herrengraben: l'»Ost-West-Hof«

und Blickachsen lassen sich nicht mehr herstellen. Letzteres gilt auch für die Heiligengeistbrücke (1883–1885, Entwurf: Franz Andreas Meyer), die zusammen mit der gleichzeitig errichteten (beim S-Bahnbau 1966 abgebrochenen und 1987 neu gebauten) Michaelisbrücke eine zusätzliche Verkehrsverbindung vom Rödingsmarkt in die Neustadt bilden sollte. Während die beiden Bürobauten am Herrengrabenfleet (1989–1992, Architekten: Kleffel, Köhnholdt, Gundermann) mit ihren fächerförmigen Kopfbauten diesen Straßenverlauf betonen, wird er an der Heiligengeistbrücke durch das »Steigenberger-Hotel« zum Durchgang.

Welche Art öffentlichen Lebens sich auf dem privatisierten Grund dieses Platzes entfalten soll, bleibt offen. Doch die neue Architektur und die alte Bausubstanz, die Galerien und Buchhandlungen, Restaurants und Cafés ziehen anscheinend Schaulustige an.

Für am neuen Städtebau Hamburgs Interessierte empfiehlt sich ein Spaziergang am Herrengraben und Stubbenhuk, eben dem Gebiet, das in den 1980er Jahren als städtebauliche Achse zwischen Alster und Elbe, als Verbindung zwischen Passagencity und Hafenmeile wiederentdeckt wurde. Die alte Fleetbebauung war im Krieg weitgehend zerstört worden, die Überreste und Brachen in den Jahrzehnten danach – sicher auch wegen der trennenden Schneise der Ost-West-Straße – weitgehend unbeachtet geblieben.

Am Herrengraben 74 fängt der Ost-West-Hof den Blick (1990–1992, Architekten: Markovic, Ronai, Lütjen). Mehr ein Objekt als ein Gebäude pointiert er den Raum von vier aufeinandertreffenden Straßen. Das Ensemble überrascht durch Kontraste: schlichteste Backsteinmauern mit Lochfenstern stoßen auf einen geschwungenen Glaskörper, dunkles Klinkerrot auf helles Glasgrün, festgegründetes Mauerwerk auf schräge Leichtfüßigkeit. Eine Architektur, die eher spielerisch als funktional wirkt, eher von Phantasie spricht als von wirtschaftlichem Kalkül. Doch die tatsächliche Nutzung ist die eines Renditeobjektes – der gläserne Rundbau, der wie ein Foyer wirkt, birgt viele Büroarbeitsplätze.

Hart an der Kante des Herrengrabenfleets stehen zwei strenge Backsteinbauten (1990–1993 Architekten: B. Winking, Patschan & Winking). Der erste, der an das alte Eckgebäude Nr. 22 anschließt, ergänzt mit siebzig Wohnungen, Geschäften, Restaurant und Kindertagesheim die herkömmliche Nutzung dieses im Zusammenhang mit der Sanierung vor dem Ersten Weltkrieg entstandenen Viertels (siehe S. 58). Der zweite dient ausschließlich Büro- und Geschäftszwecken und endet in einem prägnanten Kopfbau. An den Rückseiten spielen überkragende »Lauben« auf die alte Fleetbebauung an. Zwei kleine Plätze zwischen den Blöcken gestatten den Zugang zum Fleet.

»Lauben« und Balkons für Wohnhäuser und Büros – die unterschiedlichen Funktionen sind kaum zu erkennen. Insofern transportiert diese Architektur die angesichts rasch wechselnder Nachfragen zukunftsweisende Idee, Gebäude für flexible Nutzung auszustatten.

Das Madison-Hotel (1991–1993, ders.) hält sich zwar im Maßstab an die Wohnhäuser, geht aber mit seiner Putzfassade, den Stahlerkern und Aluminiumteilen in Grautönen zum alten genossenschaftlichen Backsteinensemble auf Distanz und wendet sich dem Neubau von Gruner + Jahr zu, aus dessen Umkreis wohl auch die Kunden dieses »Lodging-Hauses« mit Appartements für Dauergäste zu erwarten sind. Der Club Meridian, der »Sports & Recreation mit Stil und Aussicht« anbietet, zielt in die gleiche Richtung. Die ursprünglichen Wohnungsbaupläne hatten allerdings andere Mieter im Auge.

Am Stubbenhuk 3–9 wurden ebenfalls für Gruner + Jahr und von demselben Architekten Baulücken geschlossen und ergänzt (1991–1993). Der zehngeschossige Kopfbau im Süden stellt mit der sichelförmigen Glasfassade auch formal die Verbindung zum Verlagshaus her.

Die ehemaligen Deichtormarkthallen (1911–1914), heute ein Ausstellungsort. In den Dachformen und im Ziegelmauerwerk klingt Traditionelles an, die Glas-Stahl-Konstruktion steht für »moderne« Ingenierbaukunst.

The former Deichtor Market Halls (1911–1914) are now used for exhibitions. The roof and tiled exterior embrace traditional values, while the glass and steel construction embody »modern« engineering design.

Les anciennes halles de Deichtor (1911–1914), aujourd'hui espace d'exposition. La forme du toit et les murs en brique rappellent la construction traditionnelle alors que les structures d'acier et de verre illustrent l'architecture moderne.

Der Wallring

Die im frühen 17. Jahrhundert von dem Niederländer Johan van Valckenburgh angelegte Stadtbefestigung mit ihren 22 nach männlichen Vornamen benannten Bastionen hatte gegen Ende des 18. Jahrhunderts – auch aufgrund vertraglicher Absicherungen der Stadt – ihre Bedeutung verloren. Nachdem Senat und Bürgerschaft 1804 die Demolierung beschlossen hatten, begann man 1805 mit der Bepflanzung der Wälle. Die Besetzung Hamburgs durch Napoleon (1806–1814) erzwang eine Niederherstellung der Befestigung. Ihre endgültige Niederlegung wurde 1819 in Angriff genommen. Der nach Hamburg berufene Bremer Kunstgärtner Isaak Hermann Altmann verwandelte die ehemaligen Wälle in einen Landschaftspark nach englischen Vorbild. Hügel, Täler, Weiher und malerische Szenerien wechselten sich ab mit Denkmälern und Orten der Bildung und Wissenschaft wie dem Botanischen Garten (1821) oder der Sternwarte (1823–1825). Im Laufe des 19. Jahrhunderts nahm dieser Wallring eine Reihe weiterer kultureller, vor allem aber staatlicher Einrichtungen auf, die nach der Gründung des Kaiserreiches 1871 für Hamburg notwendig geworden waren. Die südlich im Marschgebiet gelegenen Stadtbefestigungen wurde in neue Hafenanlagen einbezogen.

Die Funktionen des Wallringes als städtische Parklandschaft, als Zone kultureller Bildung, öffentlicher Verwaltung und Repräsentation ist bis heute erhalten geblieben. Durch die Umwidmung der Markthallen in Ausstellungsorte und den Erweiterungsbau der Kunsthalle wurden neue Akzente zugunsten moderner Kunst gesetzt.

Die zwischen Straße, Schiene und Wasserweg verkehrsgünstig gelegenen Markthallen am Deichtor (1911/1914) dienten zusammen mit dem 29 000 qm umfassenden Deichtormarkt jahrzehntelang dem Obst- und Gemüsegroßhandel. Die alten Flächen am Hopfenmarkt und Messberg hatten für die Versorgung der wachsenden Großstadtbevölkerung nicht mehr ausgereicht. Seit 1989 sind die Deichtormarkthallen – finanziert durch die Körber-Stiftung – zu einem Ausstellungszentrum umgebaut. Während im Innern die Stahlkonstruktion der »Ingenieursbaukunst« dominiert, erinnern die Mansarddächer und das ornamentierte Backsteinmauerwerk an regionale Bautraditionen. Wo heute die Flutschutzmauer verläuft, verbanden bis in die 60er Jahre Landungsbrücken und Pontons die Hallen mit dem für die Erzeuger aus dem Umland wichtigen Wasserweg.

Die ehemalige Blumenmarkthalle am Klosterwall stammt ebenfalls aus den Jahren 1913/14 und wurde 1951 aufgrund der wachsenden Bedeutung Hamburgs als Umschlagplatz des norddeutschen Blumenhandels um einen modernen Betonschalenbau erweitert. Nach der Umnutzung des älteren Teils zu einem Veranstaltungszentrum in den 70er Jahren wurde kürzlich auch der südliche Trakt für Kultureinrichtungen umgebaut (1992/93). Die Architekten Alsop & Störmer versuchten möglichst wenig in die vorhandene Bausubstanz einzugreifen und fügten deshalb Treppenhäuser und Erschließungszonen additiv an, als Zutat erkennbar und zugleich als eine Art Markenzeichen der neuen Nutzer. Den Räumen des Kunstvereins wurde eine »Glasvitrine« mit dahinterliegendem Treppenhaus vorgebaut, den Zugang zur Freien Akademie der Künste markiert ein Treppenturm mit Lochblechfassade, und für den Berufsverband Bildender Künstler wurde ein Eingang in der alten Markthalle erneuert.

Zwischen Klosterwall und Deichtor lag seit 1842 der Berliner Bahnhof (Architekt: A. de Chauteauneuf). Er verlor seine Funktion bei der Neuordnung und Modernisierung des Bahnverkehrs durch den Bau des Hauptbahnhofs (1903–06 Architekten: Reinhardt und Süßenguth, Berlin), in dem die drei bisher in verschiedenen Bahnhöfen endenden Strecken von Berlin, Hannover und Lübeck zusammengeführt wurden. Mit einer Glas-Stahl-Halle sowie Türmen und Betriebsgebäuden aus Naturstein in Renaissanceformen stellt das Gebäude eine Mischung zwischen moderner Ingenieurbaukunst und traditioneller architektonischer Gestaltung dar. Das Gebäude galt damals als Musterbeispiel moderner Zweckarchitektur.

Im Zusammenhang mit dem Hauptbahnhof entstand das Bahnpostamt Hühnerposten (1902–1905, Postbaurat Schuppan), dessen ursprünglich spätgotische Fassade bei einem Um- und Erweiterungsbau 1923–1927 (Postbaurat Thieme) durch die Betonung der vertikalen und durch Staffelgeschosse im Sinne der expressionistischen Kontorhausarchitektur verändert wurde. Der heutige Bestand ist Ergebnis eines vereinfachten Wiederaufbaus nach dem Zweiten Weltkrieg.

Das Museum für Kunst und Gewerbe zählt zu den älteren Kultureinrichtungen an den ehemaligen Wallanlagen. Es wurde 1874–1876 nach einem Entwurf von Baudirektor C. J. C. Zimmermann in Formen der Neorenaissance als Gewerbeschul- und Museumsbau errichtet und von seinem ersten Direktor Justus Brinckmann mit der Aufgabe bedacht, »die Einsicht des Volkes in den geschichtlichen Entwicklungsgang der Kunstindustrie zu fördern und veredelnd auf die Geschmacksrichtung einzuwirken«. Auf der Basis seiner Tätigkeit ist eine der bedeutendsten Sammlungen von europäischen und außereuropäischen Kunstwerk zustande gekommen.

Die Kunsthalle am Glockengießerwall geht auf Initiative des 1817 gegründeten »Kunstvereins in Hamburg« zurück. Der heute Altbau genannte Backsteinrohbau mit Schmuckelementen aus rotem Sandstein im Stil der italienischen Renaissance wurde 1869 eröffnet (Architekten: G. T. Schirrmacher und H. v. d. Hude, Berlin). Die Porträtbüsten großer Maler, Bildhauer und Architekten vermitteln auch nach außen hin die Bedeutung des Baues als Ort der Kunstgeschichte. Unter der Leitung von Alfred Lichtwark (von 1886–1914) ist die Sammlung erheblich erweitert worden – unter anderem um die großen Hamburger Maler des Mittelalters, Meister Bertram und Meister Francke, und der Romantik, Phillipp Otto Runge und Caspar David Friedrich, sowie um Maler der damaligen Gegenwart: Menzel, Leibl, Thoma, Liebermann usw.

An den Plänen für den Neubau hat Lichtwark noch mitgewirkt, er wurde aber erst 1921 nach Entwürfen von Albert Erbe und Fritz Schumacher fertiggestellt und von seinem Nachfolger Gustav Pauli eröffnet. Mit seiner Muschelkalkfassade setzt sich das von Zeitgenossen als »neuer Sachbau« verstandene Gebäude vom »Pompbau der alten Kunsthalle« ab. Die Kuppel über einer Rotunde gegenüber dem Hauptbahnhof setzt neue städtebauliche Akzente.

Der Inselcharakter des Museumsensembles zwischen breiten Verkehrsadern wird durch den Neubau von Oswald Matthias Ungers, der 1996 eröffnet werden soll, noch einmal betont. Der dieser städtebaulichen Akzentuierung und seiner hermetischen Monumentalität wegen umstrittene Entwurf basiert auf dem Prinzip des Quadrates, das für Ungers universellen Anspruch verkörpert. Architekt und Museumsleiter sehen hier die Chance für ein Haus mit »optimalen Bedingungen für die Kunst, keine Selbstdarstellung der Architektur«. Der Bau gliedert sich in einen Sockeltrakt (für Videos und Audiothek sowie Verwaltungsräume) und einen Turm, dessen Erdgeschoß ein Bistro und einen Buchladen aufnehmen wird. Die Etagen darüber – je nach Bedarf mit Seitenlicht, mit Ober- oder Kunstlicht – werden in ihrer Größe variabel und damit für unterschiedliche Ausstellungsformen nutzbar sein. Der Museumsbau soll für die im Aufbau befindliche

Sammlung zeitgenössischer Kunst sowie für Sonderausstellungen angemessene Räume bieten.

Bei der Anlage der Stadtbefestigung wurde 1621 die vom Mühlendamm (= Jungfernstieg) aufgestaute Alster durch einen neuen Damm – mit einer Durchfahrt für Schiffe – in Binnen- und Außenalster getrennt. Die später nach dem städtischen Leihhaus benannte Lombardsbrücke wurde 1864–68, mit dem Ausbau der Verbindungsbahn zwischen Berliner und Altonaer Bahnhof neu errichtet (Entwurf: J. H. Maack) und 1900 mit der Modernisierung der Bahnanlagen (unter anderem: kreuzungsfreie Streckenführung) erweitert. (Zur Esplanade siehe S. 65 f.)

Das »Reichs-Post und Telegraphen-Gebäude« am Stephansplatz gehört zu den Bauten, die im Zusammenhang mit der Neuregelung öffentlicher Verwaltung nach der Reichsgründung entstanden. In dem repräsentativen Neorenaissancebau von 1883–1887 kommt der Geltungsanspruch des Kaiserreiches zum Ausdruck (Entwürfe: E. Hake, F. S. Ruppel mit Postverwaltung). Den Eckturm krönt ein fliegender Merkur.

Das Kriegerdenkmal am Dammtordamm, das auf Betreiben des Traditionsvereins des 76. Infanterieregiments nach der Machtübernahme durch die Nationalsozialisten 1936 aufgestellt wurde (Bildhauer: Richard Kuöhl), zählt zu den strittigsten Monumenten Hamburgs. Um einen mächtigen Muschelkalkquader mit dem Stadtwappen im Flachrelief marschieren im Gleichschritt Soldaten, anonyme Gestalten in Reih und Glied. Das Denkmal gilt eigentlich den Gefallenen des Ersten Weltkrieges, zeigt aber kampfbereite Soldaten in der Uniform der 30er Jahre. Zusammen mit den Inschriften »Deutschland muß leben und wenn wir sterben müssen« und »Großtaten der Vergangenheit sind Brückenpfeiler der Zukunft« entlarvt sich diese Darstellung als propagandistische Vorbereitung auf den Krieg. Das Denkmal hat die »Liquidierung deutscher militärischer und Nazidenkmäler« durch die Alliierten aufgrund der Ausnahmeregelung für »Denksteine, die lediglich zum Andenken an verstorbene Angehörige regulärer militärischer Einheiten errichtet worden sind«, überstanden. Nach vereinzelten – und folgenlosen – Protesten in den ersten Nachkriegsjahren gestatteten die Behörden 1957 – in der Zeit des Kalten Krieges und der Wiederbewaffnung – das Hinzufügen einer »Gruftplatte« für die Soldaten des Zweiten Weltkrieges. Erst Ende der 70er Jahre führten öffentliche Kontroversen zu der Entscheidung des Senats, dem Stein des Anstoßes und Zeugnis des NS-Systems ein Mahnmal entgegenzu-

◀ Der Hauptbahnhof entstand 1903–1906 im Zuge der Neuordnung und Modernisierung des Bahnwesens. Unten: Räume im sogenannten Altbau der Kunsthalle

The Central Station was built in 1903–1906 as part of the reorganisation and modernisation of the railway system. Bottom: Inside the old section of the city's art gallery, the »Kunsthalle«

La gare centrale fut édifiée de 1903 à 1906 dans le cadre de la modernisation des chemins de fer. En bas: Salles de la partie ancienne du musée des Beaux-Arts

▲ Das repräsentative »Reichs-Post und Telegraphengebäude« am Stephansplatz (1883–1886) zählt zu den Einrichtungen, die infolge der Reichsgründung notwendig wurden.

The construction of the prestigious Reichs-Post und Telegraphengebäudeat Stephansplatz (1883–1886) was necessary after Germany became a separate state in 1871.

La construction de l'imposant bâtiment de la Poste et du Télégraphe (1883–1886), Stephansplatz, s'imposa à la suite de la fondation de l'empire allemand.

setzen, das die Folgen und Leiden des Krieges zeigt. Der Wiener Bildhauer Alfred Hrdlicka entwarf 1982 eine vierteilige Skulpturengruppe, die das entindividualisierte, kollektive Marschieren mit dem Leiden und Tod des einzelnen konfrontiert. Der »Hamburger Feuersturm« und das Sterben der KZ-Häftlinge auf der »Cap Arcona« sind seit 1985/86 aufgestellt, die Themen »Frauenbild im Faschismus« und »Soldatentod« wurden nicht mehr realisiert. Vor allem der »Soldatentod« hätte sicher die schwierige Frage nach Täter und Opfer in den Raum gestellt.

Nach dem Vorbild von Bahnhöfen der Berliner Stadtbahn wie dem an der Friedrichstraße und am Alexanderplatz ließ die preußische Eisenbahnverwaltung bei der Neuordnung des Bahnwesens den Dammtorbahnhof anlegen (1901–1903): mit hochgelegenen, von einer gewölbten Glas-Stahl-Halle überdachten Bahnsteigen und Empfangs-und Betriebsräumen im Erdgeschoß. Schon seiner Lage am Rande der Stadtteile Harvestehude und Rotherbaum wegen wurde er zum Bahnhof der vornehmen Leute. Auch der Kaiser kam bei Hamburg-Besuchen hier an. Für Gäste wie ihn standen im Erdgeschoß besondere Räume bereit. Die Eingangszonen der korbbogigen, lichten Halle sind betont durch eine Sandsteinarchitektur, in der sich wilhelminischer Barock mit Jugendstilformen verbinden.

Der erhaltene Grünzug der Wallanlagen hat in den 150 Jahren seiner Existenz die vielfältigsten Verwandlungen erfahren. Besonders die internationalen Gartenbauausstellungen (IGA) 1953, 1963 und 1973 haben zu Eingriffen und Umgestaltungen geführt – der jeweiligen »Gartenmode« entsprechend. Der folgende Spaziergang soll lediglich auf einige markante Punkte der Park-und Gartengeschichte aufmerksam machen: Vom Stephansplatz aus gelangt man in den 1821 angelegten Botanischen Garten, der noch die Geländeformation von Wällen und Gräben erahnen läßt und zugleich eine Vorstellung vermittelt von dem Park, den der Bremer Kunstgärtner Altmann daraus schuf. Die »Pflanzenschauhäuser« stammen von der IGA 1963 (Architekten: B. Hermkes und G. Becker). Der Botanische Garten als Institut wurde 1979 nach Groß-Flottbek verlegt.

Planten un Blomen – wie heute die gesamte Grünanlage genannt wird – war ursprünglich nur der an den Botanischen Garten angrenzende nördliche Teil. Hierhin hatte man im aufklärerischen 18. Jahrhundert aus hygienischen Gründen die Kirchhöfe verlagert, die nach der Gründung des Ohlsdorfer Friedhofes zwischen 1879 und 1899 schrittweise geschlossen wurden (eine Kapelle in der Jungiusstraße Nr. 17 erinnert noch an sie). Das Gebiet nördlich der Begräbnisplätze überließ der Staat 1861 einer Aktiengesellschaft zur Gründung eines Zoologischen Gartens, der 1863 eröffnet wurde. Seine nördliche Grenze bildete seit 1866 die Verbindungsbahn. In der Weltwirtschaftskrise mußte er aufgegeben werden. Die Nationalsozialisten beschlossen 1934, das Zoogelände und die ehemaligen Friedhöfe zu einer niederdeutschen Gartenschau »Planten un Blomen« sowie für eine spätere Nutzung als Ausstellungs- und Erholungspark umgestalten zu lassen (künstlerische Leitung: H. Meding, Gartenarchitekt: C. Plomin).

Unter größtem Zeitdruck und unter Einsatz des Arbeitsdienstes wurden die »Schlacken der Vergangenheit« für die »Wiedererweckung des gartenkünstlerischen Schaffens« beseitigt. Von den gestalterisch sehr unterschiedlichen Grünanlagen und Bauten dieser Zeit (wie etwa einer Bauernschänke im niederdeutschen Regionalstil und dem Orchideen-Café, einem leichten modernen Stahlbetonbau) sind als wichtige Gartenarchitekturelemente nur die rechtwinklig strukturierten Wasserkaskaden und Rosenhöfe (heute »Bürgergärten«) von C. Plomin übriggeblieben.

Mit der IGA 1953 war die Planung von festen Messebauten anstelle der bisherigen Provisorien verbunden. Zugleich wurde ein Stück des Botanischen Gartens einbezogen. Wiederum unter Leitung von C. Plomin blieb die Grundstruktur der Anlagen erhalten, doch hat man das vom »Diktat des rechten Winkels« beherrschte Wegesystem zugunsten von »malerischen« Schlängelwegen aufgegeben. Bei der IGA 1963 wurden außer dem Botanischen Garten noch die Kleinen und Großen Wallanlagen hinzugenommen, deren ehemalige Geländemodellierung durch die Aufschüttung der Gräben mit Trümmerschutt 1946/47 bereits eingeebnet war. So entstand ein geschlossener Grünzug »Planten un Blomen«. Aus dieser »Schicht« stammt der Apothekergarten, sieben wabenförmige Pflanzenhöfe, die einen Ort der Ruhe und Konzentration darstellen. Er ist nach der jüngsten Neugestaltung in der Nähe der Rosenhöfe zu finden. (Wie die Wasserkaskaden am besten von der Rentzelstraße aus zu erreichen). Von den Bauten der IGA 1963 ist neben den schon erwähnten »Pflanzenschauhäusern« im alten Botanischen Garten noch das kleine Teehaus in der Nähe der Eis- und Rollschuhbahn erhalten (Architekten: H. Graaf und P. Krusche), heute eine Altentagesstätte.

Im alten Botanischen Garten am Stephansplatz ist noch die Parklandschaft zu erkennen, die aus den Wällen und Gräben geschaffen wurde.
Rechts: Für den Bau der Hochhausscheiben des Plaza-Hotels und des CCH (Congreß-Centrum Hamburg) wurde zur IGA 1973 ein Teil des Gartengeländes in Anspruch genommen.
Links: Als »Hort der Besinnung und Meditation« ist der Japanische Garten gedacht, der bei der jüngsten Umgestaltung von Planten un Blomen Mitte der 80er Jahre angelegt wurde.

The old Botanical Gardens at Stephansplatz still contain the parkland created on the site of the former city walls and ramparts.
Right, bottom: The Plaza-Hotel and Congress Centre were built in Planten un Blomen for the International Garden Exhibition in 1973.

Bottom left: The Japanese Garden was conceived as an »oasis of tranquillity and meditation«. It opened in the mid-1980s following the most recent landscaping of Planten un Blomen.

En haut: On retrouve dans l'ancien Jardin botanique (Stephansplatz) les parcs créés à l'emplacement des fortifications de la ville. En bas, à droite: L'hôtel Plaza et le Centre de Congrès de Hambourg furent édifiés au cœur des espaces verts aménagés dans le cadre de l'IGA 73 (grandes floralies d'Allemagne). En bas, à gauche: Le jardin japonais, »lieu de réflexion et de méditation«, fut dessiné au milieu des années 80 lors de la dernière transformation du parc Planten un Blomen.

Die Musikhalle (1904–1908) am Karl-Muck-Platz geht auf eine Stiftung der Reederfamilie Laeisz zurück. Das spätbarocke Formenrepertoire erinnert an die Michaeliskirche.
Mitte: Mit dem monumentalen Pathos der wilhelminischen Ära beeindruckt das hanseatische Oberlandesgericht (1907–1912).
Unten: Das Reiterstandbild Kaiser Wilhelms I. wurde 1929 vom Rathausmarkt in die Wallanlagen »versetzt«. Im Hintergrund das DAG-Haus am Karl-Muck-Platz, ehemals Sitz des Deutschnationalen Handlungsgehilfen-Verbandes (DHV).

The »Musikhalle« (1904–1908) at Karl-Muck-Platz owes its existence to a family of shipowners called Laeisz. Aspects of the late-Baroque design recall the architecture of St. Michael's Church.
Middle: The imposing Hanseatic High Court (1907–1912) conveys the monumentalism and emotionalism of the Wilhelmine period.
Bottom: The statue of Emperor Wilhelm I on horseback was transferred from the City Hall Square to the »Wallanlagen« in 1929.
The DAG-Haus, formerly the home of the DHV (Nationalist Association of German Clerks) at Karl-Muck-Platz, is visible in the background.

La construction de la »Musikhalle« (1904–1908) fut financée par la fondation Laeisz, une famille d'armateurs. Son style néo-baroque rappelle celui de l'église St Michel.
Milieu: La cour d'appel hanséatique (1907–1912) frappe par le style monumental et le pathos typiques du règne de Guillaume 1er. En bas: La statue équestre de l'empereur Guillaume 1er a été »transférée« de la place de l'Hôtel de Ville à la Promenade des remparts en 1929.
A l'arrière-plan, le siège du syndicat DAG, Karl-Muck-Platz.

Einschneidende Veränderungen erfuhr der Park zur IGA 1973. Der Bau des Kongreßcentrums und des Plaza-Hotels (1970–1973, Architekten: J. Schramm, G. Pempelfort) kostete 13 000 qm Gartengelände. Der neue Schwerpunkt lag auf Spiel- und Freizeitangeboten in den Großen Wallanlagen; als richtungweisend für Kinder galt vor allem der große Kinderspielplatz an der Jungiusstraße.

Der jüngste Eingriff erfolgte Mitte der 80er Jahre: Asphaltwege wurden verschmälert und wasserdurchlässig bedeckt, Ausstellungsreste beseitigt, um Planten un Blomen in einen Ort zu verwandeln, »in dem sowohl die Kunst der Gartengestaltung als auch die der Natur nachempfundene freie Landschaft zu genießen sind«. Herzstück dieser Neugestaltung ist ein Japanischer Garten, gedacht als ein »Hort der Besinnung und Meditation«. (Architekten: Araki, Hess, Wegner). Im Kontext der Überreste früherer Gartengestaltungen mag er vielleicht auch zum Nachdenken darüber anregen, warum gerade diese »grüne Oase und Insel der Ruhe inmitten der Großstadt« so raschem Wandel unterliegt.

Die Musikhalle am Karl-Muck-Platz Nr. 20 reiht sich ein in die Kulturbauten der Wallanlagen. Sie ist gestiftet durch den 1901 gestorbenen Reeder C. H. Laeisz und seine Witwe Sophie Laeisz und entworfen von den Rathausbaumeistern Haller und Meerwein (1904–1908), in Anlehnung an das Material und das spätbarocke Formenrepertoire der St.-Michaelis-Kirche, an den sogenannten »Sonnin-Barock«.

Die Neuordnung des Rechtswesens nach der Reichsgründung findet ihren architektonischen Ausdruck im Justizforum. Begonnen wurde mit dem Strafjustizgebäude, einem Backsteinbau mit Sandsteingliederungen in Formen der nordischen Renaissance (1879–1882, Baudirektor Zimmermann), an das sich rückwärts das Untersuchungsgefängnis anschließt. Dessen Erweiterungsbau (1927–1929) stammt von Fritz Schumacher. Zehn Jahre später folgte das Ziviljustizgebäude gegenüber (ebenfalls von Zimmermann), der backsteinverkleidete polygonale Stahlbetonskelettbau im Anschluß daran geht ebenfalls auf Entwürfe von Fritz Schumacher zurück (1928–1930).

Den Abschluß des Platzes bildet der kuppelbekrönte Bau des hanseatischen Oberlandesgerichts (1907–1912, Architekten: Lundt & Kallmorgen), der bis heute Sitz der höchsten hamburgischen Gerichte ist. Die Größendimension, die Tuff- und Muschelkalkverkleidung, der Rückgriff auf Repräsentationsformen der Antike und des Barock in Verbindung mit Elementen des Jugendstils, verleihen dem Gebäude etwas vom monumentalen Pathos der spätwilhelmischen Ära.

Das Reiterstandbild Kaiser Wilhelms I. in den Anlagen am Holstenwall und die vier allegorischen Figurengruppen auf dem Sievekingplatz standen ursprünglich auf dem Rathausmarkt (siehe S. 44) Das Denkmal wurde 1929 in seinen wichtigsten Teilen auf den Sievekingplatz versetzt. Seit 1985 sind hier auch die vier Allegorien für die Errungenschaften des Reiches wieder aufgestellt. Sie stehen für »einheitliches Recht«, »einheitliches Geld«, die »Wohlfahrtsgesetze« und das »Verkehrswesen«.

Als ein Hamburger Beitrag zur Hochhausdebatte der 20er Jahre ist das DAG-Haus am Karl-Muck-Platz Nr. 1 zu sehen. Die Architekten F. Sckop und W. Vortmann bekamen vom Bauherren, dem Deutschnationalen-Handlungsgehilfen-Verband (DHV) zunächst (1921 / 22) den Auftrag, dessen 1904 fertiggestelltes Verwaltungsgebäude umzubauen. Sie verwandelten den neuromanischen, mit Giebeln und Türmchen angereicherten Flügelbau in ein modernes Kontorhaus mit gleichmäßigen Pfeilerreihen, Backsteinverkleidung und Staffelgeschossen. Zwischen 1929 und 1931 entstand der turmartige Trakt am Karl-Muck-Platz, der erste reine Stahlskelettbau, stützenfrei im Innern und unübersehbar modern.

Auf die immer wieder gestellte Frage, wie sich diese Architektur mit der national-konservativen, antisemitischen Einstellung des DHV, eines Wegbereiters des Dritten Reiches, in Verbindung bringen läßt, gibt es eine m. E. plausible Antwort: »Die Neubauten waren Leitbilder und spiegelten exakt die moderne, auf den Methoden der wissenschaftlichen Betriebsführung aufgebaute Organisation des Angestelltenverbandes wider, nicht aber seine Ideologie« (Ulrich Höhns). Die überlebensgroßen Bronzejünglinge (Carl Opfermann) und der Elefantenreiter, der auf den Wunsch des DHV, auch die Auslandsdeutschen zu organisieren, anspielen soll, sowie ein Relief an der Decke der Arkaden mit den Wappen von Städten in den nach dem Ersten Weltkrieg verlorenen Gebieten verraten dagegen eher etwas von der Ideologie des DHV. Das vor wenigen Jahren von E. E. Voges restaurierte Turmtreppenhaus mit seinen farbigen, metallisch glänzenden Kacheln und goldfarbenen Bändern – quasi ein strenger Art déco – gehört zu den schönsten der 20er Jahre.

Das Gebäude der Handwerkskammer, Holstenwall 12 (1912–1915, Architekt: Fritz Schumacher) ver-

Der konservative DHV ließ sich ein modernes Bürohaus bauen (1921–1922 und 1929–1931). Das Treppenhaus mit seinen farbigen, metallisch glänzenden Fliesen gehört zu den schönsten der 20er Jahre.

The conservative DHV had modern offices built (1921–1922 and 1929–1931). The staircase with its multi-coloured, shiny metallic tiles is one of the finest examples of its time.

Avec ses carreaux colorés aux reflets métalliques, la cage d'escalier de l'immeuble de la DHV, est l'une des plus belles des années 20.

eint Elemente althamburgischer Bürgerhäuser mit Kontorhausarchitektur und stellt somit ein weiteres Beispiel für den Heimatstil der Zeit vor dem Ersten Weltkrieg dar. Es entstand im Zusammenhang mit der Gründung von Handwerkskammern (1897) im Deutschen Reich, die nach der Einführung der Gewerbefreiheit (1864 in Hamburg) als Selbstverwaltungsorgan die Interessen des Handwerks vertraten und hoheitliche Aufgaben, wie etwa die Regelung der Ausbildung, übernahmen.

Auf der ehemaligen Bastion »Henricus« und dem Platz der alten Sternwarte (1823–1825), die wegen der rauchigen Innenstadtluft bereits 1912 in die Nähe von Bergedorf verlagert worden war, entstand 1914–1923 das Museum für Hamburgische Geschichte (Holstenwall 24), für Fritz Schumacher eines seiner Hauptwerke. Das Anlageschema des Gebäudes folgt dem dreieckigen Grundriß der ehemaligen Bastion und betont damit die historische Bedeutung des Ortes. Im Innern verbindet eine großzügige Halle und Treppenanlage die Räume für die Sammlungen mit dem Verwaltungstrakt, der in den beiden Flügelbauten des an einen barocken Ehrenhof erinnernden Eingangsbereich untergebracht ist. Das Konzept sah vor, Bauteile, Skulpturen und Innenausstattung von alt-hamburgischen Häusern, die beim Großen Brand oder beim Abbruch alter Quartiere vom Verein für Hamburgische Geschichte geborgen werden konnten, in den Bau zu integrieren. So wurde u. a. eine alte Kaufmannsdiele und ein Festsaal aus dem 17. Jahrhundert, die aus abgerissenen Häusern an der Deichstraße stammen, im Museum rekonstruiert. Unter den Architekturteilen und dem Skulpturschmuck an den Außenmauern sind besonders die Kaiserstatuen vom alten Hamburger Rathaus (1649) an der Fassade und das ehemalige Südportal der Petrikirche (1604) im Hof bemerkenswert. Auch der Garten des Museums bietet eine Reihe von Fundstücken. Eine kleine Broschüre des Museums informiert darüber.

Am Millerntor erinnert die tempelartige Torwache (1819/20, Entwurf: C. L. Wimmel) noch an die nächtliche Schließung der Tore, die erst 1860 aufgehoben wurde.

Im alten Elbpark, auf der ehemaligen Bastion »Casparus« steht das Bismarck-Denkmal, mit seinen 34,3 Metern das höchste Denkmal Hamburgs. Es wurde auf Initiative eines Bürgerkomitees unter dem Vorsitz von Bürgermeister Mönckeberg und mit Unterstützung von Senat und Bürgerschaft nach einem Wettbewerb durch den Architekten Emil Schaudt und den Bildhauer Hugo Lederer zwischen 1902 und 1906 ausgeführt. In Gestalt eines Roland, gerüstet und auf ein Schwert gestützt, erhebt sich die Bismarckstatue – mit dem Blick zur See und der Stadt im Rücken – über einem mächtigen Rundsockel, der gefaßt wird von athletischen Gestalten; sie verkörpern die deutschen Stämme. In der Nachfolge mittelalterlicher Roland-Standbilder wird die Kolossalfigur zum Symbol des Reichschutzes für den Hamburger Welthandel und steht zugleich für den Anspruch Hamburgs des »Deutschen Reiches Tor zur Welt« zu sein. (Das Denkmal ist über die Neumayerstraße zu erreichen).

Den Stintfang, die ehemalige Bastion »Albertus« bekrönte bis 1943/44 der Neorenaissancepalast der Deutschen Seewarte (1879–1881, Architekten: Kirchenpauer & Filippi), »als sichtbares Zeichen der der Stadt obliegenden Wahrnehmung der Seewege«. Nach der Zerstörung im Krieg wurde an dieser prominenten Stelle eine Jugendherberge errichtet (1952–1955, Architekt: Hermann Schöne). Heutzutage machen Pläne für renditeträchtigere Nutzungen dieser Einrichtung die bevorzugte Lage streitig.

Im Garten des Museums für Hamburgische Geschichte findet man Bauschmuck und Skulpturen von abgebrochenen Gebäuden Alt-Hamburgs.

The garden at the Museum of Hamburgian History contains architectural ornaments and sculptures from Hamburg's past.

Le jardin du musée d'Histoire est agrémenté de sculptures et d'éléments décoratifs provenant de bâtiments du Vieux Hambourg aujourd'hui disparus.

Museen

Eine Übersicht über die laufenden Ausstellungen erhält man aus der Tagespresse oder den Broschüren der Tourismus-Zentrale. Die Museen erteilen ebenfalls telefonisch Auskunft – auch über das weitere Angebot (Kurse, Lesungen, Konzerte, Vorträge).

Hamburger Kunsthalle
Glockengießerwall 1
20095 Hamburg, Telefon 040/2486–2612/5765
Öffnungszeiten: Di.–So. 10–18 Uhr, Do. 10–21 Uhr
Kupferstichkabinett und Bibliothek: Di.–Fr. 10–17 Uhr, So. geschlossen
Öffentliche Führungen: So. 11 Uhr (themenbezogene Führungen)
Café Liebermann in der Kunsthalle:
Glockengießerwall 1, 20095 Hamburg, Telefon 040/337068
Öffnungszeiten: Di.–So. 10–18 Uhr

Museum für Hamburgische Geschichte
Holstenwall 24, 20355 Hamburg, Telefon 040/3504–2360/80
Öffnungszeiten: Di.–So. 10–18 Uhr, Do. 10–21 Uhr
Öffentliche Führungen: So. 11 Uhr: Führung durch die ständige Ausstellung zur Hamburgischen Geschichte
Sa. 12.30 Uhr + So. 11.30 Uhr stündliche Vorführung der Modelleisenbahn
Café Fees im MHG:
Holstenwall 24, 20355 Hamburg, Telefon 040/3174766
Öffnungszeiten: Di.–So. 10 Uhr bis open end

Museum für Kunst und Gewerbe
Steintorplatz 1, 20099 Hamburg, Telefon 040/2486–2630/2732
Öffnungszeiten: Di.–So. 10–18 Uhr, Do. 10–21 Uhr
Bibliothek: Di.–Fr. 10–17 Uhr
Öffentliche Führungen: Jede Gruppe (ab 10 Pers.) kann nach Vereinbarung zu einem angebotenen oder selbstgewählten Thema geführt werden. Information und Beratung: Telefon 2486–2968
Außerdem veranstaltet das Museum regelmäßig Lesungen, Konzerte, Theater, Vorträge und japanische Teezeremonien. Nähere Informationen im Geschäftszimmer. Telefon 2486–2732
Restaurant Destille im MKG:
Steintorplatz 1, 20095 Hamburg, Telefon 040/2803354
Öffnungszeiten: Di.–Fr. 10–16 Uhr, Sa. + So. + Feiertage 11–17 Uhr, Oktober–März 10–20 Uhr

Deichtorhallen
Deichtorstraße 1–2, 20095 Hamburg, Telefon 040/323735
Öffnungszeiten: Di.–So. 11–18 Uhr, Do. 11–21 Uhr
Öffentliche Führungen: So. 14 Uhr Südhalle, So. 16 Uhr Nordhalle

Deutsches Zollmuseum
Alter Wandrahm 15a–16, 20457 Hamburg, Telefon 040/33976–386/329
Öffnungszeiten: Di.–So. 10–17 Uhr,
Bibliothek: Di.–Do. 7.30–16 Uhr, Fr. 7.30–14.30 Uhr
Medienraum: Vorführung von Themen bei Führungen; in Planung: Diavorträge, Filme zu hafen- und zollbezogenen Themen
Öffentliche Führungen: für Gruppen nach telefonischer Voranmeldung

Postmuseum
Stephansplatz 5, 22047 Hamburg, Telefon 040/3503–7701
Öffnungszeiten: Di., Mi., Fr. 10–15 Uhr, Do. 10–18 Uhr
Öffentliche Führungen: nach Absprache

Hamburger Schulmuseum
Neustädter Straße 60 / Zugang Poolstraße, 20355 Hamburg
Telefon 040/352946
Öffnungszeiten: Di.–Do., 9–16 Uhr, Fr. 9–15.30 Uhr
Führungen: nach Voranmeldung

Hot Spice – Gewürzmuseum
Am Sandtorkai 32, 20457 Hamburg, Telefon 040/367989
Öffnungszeiten: Di.–So. 10–17 Uhr
Führungen: Nach Voranmeldung

Kunstverein in Hamburg
Deichtorplatz, 20095 Hamburg, Telefon 040/338344, Fax 322159
Öffnungszeiten: Di.–So. 11–18 Uhr, Do. 11–21 Uhr
Führungen: So. 14 Uhr und nach Absprache
Café Jena Paradies (Im Gebäude des Kunstvereins)
Klosterwall 23, 20095 Hamburg, Telefon 040/327008, Fax 040/327598
Öffnungszeiten: täglich von 11–2 Uhr nachts

Johannes Brahms Gedenkräume
Peterstraße 39, 20355 Hamburg, Telefon 040/344688
Öffnungszeiten: Di. + Fr. 12–13 Uhr, Do. 16–18 Uhr, sowie nach Vereinbarung
Führungen: nach Voranmeldung

Museumsschiff »Rickmer Rickmers«
Bei den St. Pauli Landungsbrücken, Brücke 1A, 20359 Hamburg,
Telefon 040/3195959
Öffnungszeiten: Täglich 10–18 Uhr
Führungen: nach Voranmeldung

Museumsschiff »Cap San Diego«
Überseebrücke, 20459 Hamburg, Telefon 040/364209
Öffnungszeiten: täglich 10–18 Uhr, Führungen: nach Voranmeldung

Kunsthaus Hamburg
Markthalle, Klosterwall 15, 20095 Hamburg, Telefon 040/335803
Öffnungszeiten: Di.–So. 11–18 Uhr (außerdem: Führungen nach Absprache und Vorträge)

Freie Akademie der Künste e. V.
Klosterwall 23, 20095 Hamburg, Telefon 040/324632
Öffnungszeiten: Di.–So. 11–18 Uhr

Galerien

Galerie Jürgen Becker
Admiralitätstraße 71, 20459 Hamburg, Telefon 040/365544, Fax 040/365444
Öffnungszeiten: Di.–Fr. 11–18 Uhr, Sa. 11–15 Uhr

Dörrie & Priess Galerie
Admiralitätstraße 71, 20459 Hamburg, Telefon 040/364131, Fax 040/373717
Öffnungszeiten: Mi.–Fr. 12–18 Uhr, Sa. 12–15 Uhr

Elke Dröscher–Kunstraum Fleetinsel
Admiralitätstraße 71, 20459 Hamburg, Telefon 040/3743200, Fax 040/818166
Öffnungszeiten: Di.–Fr. 12–15 Uhr

Produzentengalerie Hamburg
Michaelisbrücke 3, 20459 Hamburg, Telefon 040/378232, Fax 040/363304
Öffnungszeiten: Mo.–Fr. 11–13, 15–19 Uhr, Sa. 11–14 Uhr

Kunstantiquariat Lührs & Jaeger
Michaelisbrücke 3, 20459 Hamburg, Telefon 040/371194, Fax 040/371103
Öffnungszeiten: Mo.–Fr. 11–14/15–18.30 Uhr; Sa. 10–14 Uhr

Galerie Rose
Großer Burstah 36, 20457 Hamburg, Telefon 040/365636, Fax 040/378179
Öffnungszeiten: Mo.–Fr. 10–18.30 Uhr, Sa. 10–14 Uhr

Galerie Wilma Tolksdorf
Admiralitätstraße 71, 20459 Hamburg, Telefon 040/372253, Fax 040/362031
Öffnungszeiten: Di.–Fr. 14–18 Uhr, Sa. 11–15 Uhr

Weisser Raum
Admiralaitätstraße 71, 20459 Hamburg, Telefon 040/366665, Fax 040/362850
Öffnungszeiten: Mi.–Fr. 12–18 Uhr, Sa. 12–15 Uhr

Galerie Gardy Wiechern
Alter Steinweg 1, 20459 Hamburg, Telefon + Fax 040/364661
Öffnungszeiten: Di., Mi., Fr. 12–19 Uhr, Do. 12–20 Uhr, Sa. 11–15 Uhr

B. A. T. KunstFoyer
Esplanade 39, 20354 Hamburg, Telefon 040/4151–2539
Öffnungszeiten: Mo. 10–20 Uhr, Di., Fr. 10–18 Uhr

Westwerk
Admiralitätstraße 74, 20459 Hamburg, Telefon 040/363903 (Büro), 040/365701 (Halle), Fax 040/367229
Öffnungszeiten: Di.–Fr. 17–19 Uhr, Sa. 11–14 Uhr, So. 15–18 Uhr

Galerie Deichstraße
Deichstraße 28, 20459 Hamburg, Telefon 040/365151, Fax 040/362819
Öffnungszeiten: Di.–Fr. 10.30–18.30 Uhr, Sa. 10.30–14 Uhr

Hamburgische Landesbank
Gerhart-Hauptmann-Platz 50, 20095 Hamburg, Telefon 040/365151
Öffnungszeiten: Mo.–Fr. 9–16 Uhr

Roughhouse Active Gallery
Poolstraße 32, 20355 Hamburg, Telefon 040/353034
Öffnungszeiten: Mo.–Fr. 15–19.30 Uhr

Peter Dürkop – Kunsthandel
ABC-Straße 19B, 20354 Hamburg, Telefon 040/4101513, Fax 040/4108561
Öffnungszeiten: nach persönlicher Absprache

Theater

Commedia Theater
Musikhalle Studio E
Dammtorwall 46, 20355 Hamburg, Telefon 040/343937

Das Schiff
Holzbrücke 2, 20459 Hamburg, Telefon 040/364765

Deutsches Schauspielhaus
Kirchenallee 39, 20099 Hamburg, Telefon 040/248713
Tageskasse: Mo.–Sa. 10–18 Uhr
So. + Feiertage 10–13 Uhr
Abendkasse: 1 Std. vor Vorstellungsbeginn

Die kleine Komödie
Neuer Wall 54, 20354 Hamburg, Telefon 040/371314/367340
Tageskasse: Mo.–Sa. 10–20.30 Uhr

Hamburgische Staatsoper
Dammtorstraße 28, 20354 Hamburg, Telefon 040/351721
Kartenvorbestellungen: Mo.–Fr. 10–14 Uhr, 16–18.30 Uhr, Sa. 10–14 Uhr,
Abendkasse: 1,5 Std. vor Vorstellungsbeginn

Kellertheater
Karl-Muck-Platz 1, 20355 Hamburg, Telefon 040/440298/453326

Malersaal im Schauspielhaus
Kirchenallee 39, 20099 Hamburg, Telefon 040/248713
Kartenvorverkauf wie Schauspielhaus

Kantine im Deutschen Schauspielhaus
Kirchenallee 39, 20099 Hamburg, Telefon 040/243060
(Vorträge, Lesungen, Musik, Diskussionen)

Neues Theater Hamburg
Holstenwall 19, 20355 Hamburg, Telefon 040/313303
Tageskasse: Mo.–Fr. 12–18 Uhr, Sa. 11–15 Uhr

Ohnsorg Theater
Große Bleichen 25, 20354 Hamburg, Telefon 040/3508–0321
Tageskasse: Mo.–Sa. 10–20 Uhr, So. 14–19 Uhr

Opera Stabile
Büschstraße 11, 20354 Hamburg, Telefon 040/351721

Rendezvous
Neuer Wall 54, 20354 Hamburg, Telefon 040/371314

Saitensprung
Deichstraße 47, 20459 Hamburg, Telefon 040/372607

Thalia-Theater
Alstertor 1, 20095 Hamburg, Telefon 040/322666
Tageskasse: Mo.–Fr. 10–18 Uhr, Sa. + So. 10–14 Uhr

Theater Imago
Admiralitätstraße 71/72, 20459 Hamburg, Telefon 040/366663

Theaterschiff am Mäuseturm
Hohe Brücke 2, 20459 Hamburg, Telefon 040/7898363 (Vorbestellung),
Telefon 040/440298 (Theaterkasse)

TIK (Thalia in der Kunsthalle)
Glockengießerwall 1, 20095 Hamburg, Telefon 040/322666
(Theaterkasse siehe Thalia-Theater)

Theaterkassen/Konzertkassen

Theaterkasse Central
Landesbankgalerie, Gerhart-Hauptmann-Platz 48, 20095 Hamburg,
Telefon 040/324312

Last Minute Kartenshop
Hanse-Viertel, Eingang Poststraße, 20354 Hamburg, Telefon 040/353565
Öffnungszeiten: 15–18.30 Uhr Restkartenverkauf für den Tag

Theaterkasse Schuhmacher
Colonnaden 37, 20354 Hamburg, Telefon 040/343044

CCH-Kasse
Jungiusstr. 13, 20355 Hamburg, Telefon 040/342025/6

Musikhalle
Karl-Muck-Platz, 20355 Hamburg, Telefon 040/346920

Markthalle
Klosterwall 9–21, 20095 Hamburg, Telefon 040/339491

Kinos

Passage Kino 1–3
Mönckebergstr. 17, 20095 Hamburg, Telefon 040/324139

Streits
Jungfernstieg 38, 20354 Hamburg, Telefon 040/346051

UFA-Palast
Am Gänsemarkt, 20354 Hamburg, Telefon 040/343996,
Telefon 040/353345 (Programmansage)

Kino-Center
Am Hauptbahnhof/Glockengießerwall 2–4, 20095 Hamburg,
Telefon 040/327186

Metropolis
Dammtorstr. 30, 20354 Hamburg
Telefon 040/342353

Kirchen

Hauptkirche St. Petri
Speersort 10, 20095 Hamburg, Telefon 040/324438, Fax 040/337597
Öffnungszeiten: Mo.–Fr. 9–18 Uhr, Sa. 9–17 Uhr, So. 9–12/13–20 Uhr
Gottesdienste: So. 10, 17.30, 19 Uhr (1. So. im Monat 17 Uhr engl.-luth.),
Mi. 18.15 Uhr, Mo.–Fr. 13 Uhr. Kurzandacht: Mo., Di., Do., Fr. 17.15 Uhr
Stunde der Kirchenmusik: Mi. 17.15 Uhr
Kreuz und Quer, das Kirchencafé: Di.–Fr. 11.30–18 Uhr, langer Do.: bis 20 Uhr,
langer Sa.: bis 16 Uhr (Telefon 040/336630)

St. Katharinen
Katharinenkirchhof 1, 20457 Hamburg, Telefon 040/336275, Fax 040/339105
Öffnungszeiten: täglich von 9–16 Uhr
Gottesdienst: So. 11 Uhr, Mi. 12.30–12.50 Uhr Musik u. Muße am Mi.,
1. Samstag im Monat 18 Uhr Märchen und Bibel im Gespräch

Hauptkirche St. Jacobi
Jakobikirchhof 22, 20095 Hamburg, Telefon 040/327744/45, Fax 040/337452
Öffnungszeiten: Mo.–Sa. 10–13 Uhr, 13.30–17 Uhr
Gottesdienst: So. 10 Uhr, Orgelführung und Kurkonzert: Do. 12 Uhr

Hauptkirche St. Michaelis
Krayenkamp 4c, 20459 Hamburg, Telefon 040/376780, Fax 040/37678220
Öffnungszeiten: Kirche und Turm: Oktober–März Mo.–Sa. 10–17 Uhr, So.
11.30–17 Uhr, April–September Mo.–Sa. 9–18 Uhr, So. 11.30–17.30 Uhr,
Gruftgewölbe (mit Ausstellung »Michaelicia«): Mo.–Sa. 11–17 Uhr,
So. 11.30–17 Uhr. (im Winter nur Fr., Sa. So.) Führung: Mo.–So. 9–17.30 Uhr
(Sommer), 9–16 Uhr (Winter), So. nach dem Gottesdienst bis 16 bzw. 17.30
Uhr. Gottesdienst: So. 10 und 18 Uhr

St. Ansgar/Kleiner Michel
Michaelisstr. 5, 20459 Hamburg, Telefon 040/371233
Gottesdienst: So. 9.30 Uhr, 11.30 Uhr, Fr. 18 Uhr Beichtgelegenheit

Norwegische Seemannskirche
Ditmar-Koel-Str. 4, 20459 Hamburg, Telefon 040/371272
Öffnungszeiten: Mo., Di., Mi., Fr., So. 10–22 Uhr, Do. 16–22 Uhr,
Sa. 11–20 Uhr. Gottesdienst: So. 11 Uhr

Schwedische Gustav-Adolf-Kirche
Ditmar-Koel-Str. 36, 20459 Hamburg, Telefon 040/313105
Öffnungszeiten: Mo.–Fr. 17–22 Uhr, Sa. 13–22 Uhr, So. 13–22 Uhr
Gottesdienst: So. 15 Uhr

Dänische Seemannskirche
Ditmar-Koel-Str. 2, 20459 Hamburg, Telefon 040/371300
Öffnungszeiten: täglich 13–22 Uhr
Gottesdienst: jeden zweiten Sonntag 11 und 14 Uhr im Wechsel

Church of St. Thomas a Beckett
Zeughausmarkt 11, 20459 Hamburg, Telefon 040/312805
Gottesdienst: So. 10.30 Uhr, Morgenpredigt Mi. 6 Uhr

Evangelische Akademie Nordelbien
Esplanade 15, 20354 Hamburg, Telefon 040/3550560
Öffnungszeiten: Mo.–Do. 9–17 Uhr, Fr. 9–12 Uhr

Katholische Akademie
Herrengraben 4, 20459 Hamburg, Telefon 040/369520
Öffnungszeiten: Mo.–Fr. 9–19 Uhr

Hotels

Hotelzimmer, Last-minute-Ansage: Telefon 19412

Luxushotel

Atlantic Hotel
Kempinski Hamburg
An der Alster 72, 20099 Hamburg, Telefon 040/2888–0, Fax 040/247119
Preis: 349–459 DM/Nacht EZ, 428–538 DM/Nacht DZ

Vier Jahreszeiten Hamburg
Neuer Jungfernstieg 9–14, 20354 Hamburg, Telefon 040/34940,
Fax 040/3494602
Preis: 375–455 DM/Nacht EZ, 465–595 DM/Nacht DZ

Sehr gute und gute Hotels

Europäischer Hof
Kirchenallee 45, 20099 Hamburg, Telefon 040/248171, Fax 040/24824799
Preis: 189–360 DM/Nacht EZ, 240–420 DM/Nacht DZ

Madison Hotel
Schaarsteinweg/Herrengraben, 20459 Hamburg, Telefon 040/37666–0,
Fax 040/37666–137
Preis: 120–600 DM/Nacht

Maritim Reichshof
Kirchenallee 34–36, 20099 Hamburg, Telefon 040/248330
Fax 040/24833588
Preis: 245–373 DM/Nacht EZ, 298–448 DM/Nacht DZ

Marriott
ABC-Straße 52, 20345 Hamburg, Telefon 040/35050,
Fax 040/35051777
Preis: 279,50–379,50 DM/Nacht EZ, 309–409 DM/Nacht DZ

Ramada Renaissance Hotel
Große Bleichen, 20354 Hamburg, Telefon 040/349180, Fax 040/34918431
Preis: 275–345 DM/Nacht EZ, 325–395 DM/Nacht DZ

Steigenberger Hamburg
Heiligengeistbrücke 4, 20459 Hamburg, Telefon 040/368060,
Fax 040/36806777
Preis: 275–335 DM/Nacht EZ, 325–385 DM/Nacht DZ

Mittelklasse

Baseler Hof
Esplanade 11, 20354 Hamburg, Telefon 040/359060, Fax 040/35906918
Preis: 145 DM/Nacht EZ, 180–200 DM/Nacht DZ

Hotel Hafen Hamburg
Seewartenstr. 9, 20459 Hamburg, Telefon 040/311130, Fax 040/3192736
Preis: 160–180 DM/Nacht EZ, 180–205 DM/Nacht DZ

Hotel am Holstenwall
Holstenwall 19, 20355 Hamburg, Telefon 040/311275, Fax 040/316264
Preis: 196–280 DM/Nacht EZ, 246–340 DM/Nacht DZ

SAS Plaza Hotel Hamburg
Marseiller Str. 2, 20355 Hamburg, Telefon 040/3502–0, Fax 040/35023333
Preis: 260–310 DM/Nacht EZ, 310–410 DM/Nacht DZ

Sphinx Künstler-Hotel
Colonnaden 43, 20354 Hamburg, Telefon 040/351377, Fax 040/353143
Preis: 78–88 DM/Nacht EZ, 98–108 DM/Nacht DZ

Jugendherberge

Jugendherberge »Auf dem Stintfang«
Alfred-Wegener-Weg 5
20459 Hamburg, Telefon 040/313488
Preis: 18,50–22,50 DM
Öffnungszeiten: 6.30–1 Uhr (nachts)

Restaurants, Bars, Bistros, Cafés

Altstadt

A Hereford Beefstouw
Schopenstehl 32, 20095 Hamburg, Telefon 040/321885
Mo.–Fr. 11.30–23 Uhr, Sa. 18–23 Uhr, So. 18–22 Uhr

Le Mouillage im Chilehaus A
Depenau 3, 20095 Hamburg, Telefon 040/327171
Mo.–Fr. 12–14.30 Uhr/18–22.30 Uhr, Sa. 18–22.30 Uhr

Weinhexe im Chilehaus (ital.)
Burchardstr. 13c, 20095 Hamburg, Telefon 040/337561
Mo.–Fr. 11–18.30 Uhr

Alt Hamburger Aalspeicher
Deichstr. 43, 20459 Hamburg, Telefon 040/362990
täglich 12–24 Uhr

Deichgraf (Fischspezialitäten)
Deichstr. 23, 20459 Hamburg, Telefon 040/36420
Mo.–Fr. 11–22 Uhr, Sa. 18–23 Uhr

Kartoffelkeller
Deichstr. 21, 20459 Hamburg, Telefon 040/365585
Di.–Sa. ab 17 Uhr

Alt Hamburger Bürgerhaus
CCH-Gastronomie GmbH
Deichstr. 37, 20459 Hamburg, Telefon 040/35693117
(Vermietung an Gesellschaften ab 15 Personen)

Schoppenhauer (Regionalgerichte)
Reimerstwiete 20, 20457 Hamburg, Telefon 040/371510
Mo.–Fr. 12–24 Uhr, Sa./So./feiertags nur für Gesellschaften

Nikolaikeller (Fisch- und Regionalspezialitäten)
Cremon 36, 20457 Hamburg, Telefon 040/366113

Gröninger Braukeller
Dehn's Privatbrauerei
Ost-West-Str. 47, 20457 Hamburg, Telefon 040/331381
Mo.–Fr. 11 Uhr–nach Mitternacht, Sa. ab 17 Uhr

Brauhaus Hanseat (erste Weißbierbrauerei im Norden)
Zippelhaus 4, 20457 Hamburg, Telefon 040/322552, Fax 040/322553
Öffnungszeiten: Mo.–Sa. 11–24 Uhr

Cölln's Austernstuben
Brodschrangen 1–5, 20457 Hamburg, Telefon 040/326059
Mo.–Fr. 12–23 Uhr, Sa. 18–23 Uhr

Ratsweinkeller
Große Johannisstr. 2, 20457 Hamburg, Telefon 040/364153
täglich 10–24 Uhr

Schümanns Austernkeller
Jungfernstieg 34, 20354 Hamburg, Telefon 040/345328
Mo.–Sa. 12–15 Uhr, 18–23 Uhr

Zum alten Rathaus
Börsenbrücke 10, 20457 Hamburg, Telefon 040/365617
11.30–22 Uhr

Zum Fleetenkieker (Hamburger Spezialitäten)
Börsenbrücke 10, 20457 Hamburg, Telefon 040/365617/344761
Di.–Sa. 18–2 Uhr

Finnegan's Wake (irische Kultur und Küche)
Börsenbrücke 4, 20457 Hamburg, Telefon 040/3743433
Öffnungszeiten: Mo.–Sa. 11–1Uhr nachts, Sa. + So. 11–4 Uhr nachts

Nevsky–Bistro im Kontorhaus (moderne russische Küche)
Domstr. 17–21, 20095 Hamburg, Telefon 040/339051
Öffnungszeiten: Mo.–Fr. 12–24 Uhr, warme Küche nur bis 22 Uhr

Petit Delicé
Gr. Bleichen 21/Galeriapassage, 20354 Hamburg, Telefon 040/343470
Di.–Sa. 12–15 Uhr und 18–22 Uhr

Alsterpavillon
Jungfernstieg 54, 20354 Hamburg, Telefon 040/355092–0
Öffnungszeiten: Mo.–So. 8–2 Uhr nachts

Café Andersen
Poststr. 71, 20354 Hamburg, Telefon 040/353015
Mo.–Sa. 7.30–19 Uhr, So. 9–19 Uhr

Harry's New York Bar
Gr. Bleichen 35/Bleichenhofpassage, 20354 Hamburg, Telefon 040/3508428
Mo.–Do. 16–2 Uhr, Fr./Sa. 16–3 Uhr

Matsumi (japanisch)
Colonnaden 96, 20354 Hamburg, Telefon 040/343125
Mo.–Sa. 12–14.30/18–24 Uhr

Fleetinsel

Marinehof
Admiralitätstr. 77, 20459 Hamburg, Telefon 040/367655
Di./Mi./Do. 11–1 Uhr, Fr. 11–2 Uhr, Sa. 13–2 Uhr

Rialto
Michaelisbrücke 3, 20459 Hamburg, Telefon 040/364342
Mo.–Fr. 12–15/täglich 18.30–2 Uhr

Neustadt am Hafen:

Das Feuerschiff Hamburg
(Bar, Restaurant, Pub, Café, Hotel)
City Sporthafen Hamburg, Vorsetzen, 20459 Hamburg,
Telefon 040/362553/54, Fax 040/362555
Öffnungszeiten: Mo.–So. 11–1 Uhr nachts
Restaurant: So. warme Küche geschlossen

Rickmer Rickmers
Bei St. Pauli Landungsbrücken, Brücke 1, 20359 Hamburg,
Telefon 040/35693119, täglich 10–18 Uhr

Olympiada Hellas (spanisch)
Reimarusstr. 13, 20459 Hamburg, Telefon 040/313626, Di.–So. 12–24 Uhr

Sagres (portugiesisch)
Vorsetzen 72, 20459 Hamburg, Telefon: 040/371201, Mo.–So. 12–24 Uhr

Benfica
Rambachstr. 1, 20459 Hamburg, Telefon 040/3193826
Öffnungszeiten: Mo.–So. 11–open end

Neustadt am Michel:

Galeriestuben
Krayenkamp 10, 20459 Hamburg, Telefon: 040/365800
täglich 11–24 Uhr

Old Commercial Room
Englische Planke 10, 20459 Hamburg, Telefon 040/366319/366368
täglich 11–1 Uhr

Kanzelmeyer
Englische Planke 8, 20459 Hamburg, Telefon 040/364833
täglich 12–24 Uhr

nördliche Neustadt:

Café Endlich (Frauen-Kultur-Café),
Peterstr. 36, 20355 Hamburg, Telefon 040/351616,
täglich ab 16 Uhr, So. ab 11 Uhr

Schwender's
Großneumarkt 1, 20459 Hamburg, Telefon 040/345423
Öffnungszeiten: Mo.–Sa. 11.–open end

Galerie Café und Restaurant
Großneumarkt 54, 20459 Hamburg, Telefon 040/344973
Öffnungszeiten: Mo.–So. 11–24 Uhr

Vamp's (Café, Bar, Restaurant)
Großneumarkt 60, 20459 Hamburg, Telefon 040/344881
täglich 11–2 Uhr

Weinstuben am Großneumarkt (Kleinkunst)
Großneumarkt 10, 20459 Hamburg, Telefon 040/346689
Öffnungszeiten: Mo.–So. 17 Uhr–open end,
Küche bis 1 Uhr nachts

Cotton Club (Hamburgs erster Jazzkeller)
Alter Steinweg 10, 20459 Hamburg, Telefon 040/343878
Mo.–Sa. Einlaß ab 20 Uhr, So. Frühschoppen 11–15 Uhr

Tips von A–Z

Alster-, Fleet- und Kanalfahrten (April bis Oktober)
Alster-Rundfahrten, Fleetfahrten, Kanalfahrten (April–Oktober), Vierlanden-Fahrten nach Bergedorf, Teichfahrt (Mai–Sept.), Dämmertörn (Mai–Sept.), Alster-Kreuzfahrten (April–Sept.), Charterfahrten (jederzeit), Die Große Hamburger Lichterfahrt (Mai–August: jeden Fr.–Sa.)
Charter, Information u. Kartenverkauf – Tel. 040/341141/45
Fahrkarten erhalten Sie bei folgenden Vorverkaufsstellen:
ATG Alster-Touristik am Anleger Jungfernstieg
ADAC Amsinckstr. 39, 20097 Hamburg, Telefon 040/2399296
Touristik-Information im Hauptbahnhof, Telefon 040/30051230
Touristik-Information im Hanse-Viertel, Poststr./Große Bleichen,
20354 Hamburg, Telefon 040/30051–220

Alter Botanischer Garten der Universität Hamburg
Marseiller Str. 7, 20355 Hamburg, Telefon 040/4123–2327
täglich: März–Okt. 9–16.45, Sa., So. u. Feiertags von 10–17.30 Uhr,
von Nov.–Febr. 9–15.45 Uhr geöffnet

Des weiteren in **Planten und Blomen** (geöffnet: 7–22 Uhr)
a) Japanischer Garten, Teehaus u. Teezeremonien: Termine bitte dem Programmheft entnehmen
b) Apothekergarten: Der Hamburger Apothekerverein bietet kostenlos Führungen an (Tel. 040/4480–4824)
c) Rosengarten: Termine zu den Nachmittagen mit klassischer Musik, bitte erfragen unter der Telefonnummer: 040/2486–4723
d) Wasserspiele in Planten und Blomen mit klassischer Musik: 1.5.–31.8. täglich um 22 Uhr, vom 1.9.–30.9. täglich um 21 Uhr
e) Eis- und Rollschuhlaufbahn

Alter Elbtunnel
Mo.–Sa. 5–21 Uhr, So. und feiertags für Autos geschlossen
Mo.–Fr. 20–5.30 Uhr (Fahrräder/Mofas), Sa. ab 16.30 Uhr

Elbfahrten
nach Finkenwerder ab St. Pauli Landungsbrücken (Telefon 040/311707–24)
nach Blankenese, Schulau, Lühe (Telefon 040/311707–24)
nach Buxtehude, Stade, Glückstadt, Lauenburg und Sonderfahrten (Telefon 04163/5798)
Max-Jens-Barkassenvermietung (Schleusen, Kanäle, Hafenfahrten, Ober- und Unterelbe, Feiern aller Art),
Hohe Brücke, Hamburg, Telefon 040/366681/83

Fundbüro
Städtisches Fundbüro (auch für die HVV)
Bäckerbreitergang 73, 20355 Hamburg, Telefon 040/351851
Öffnungszeiten: Di., Mi., Fr. 8–12 Uhr, Mo. + Do. 8–15.30 Uhr

Lesen in Hamburg/Hamburger Öffentliche Bücherhallen

Zentralbibliothek
Große Bleichen 27, 20354 Hamburg, Telefon 040/35606–215
Öffnungszeiten: Di.–Fr. 10–18 Uhr, Sa. 10–13 Uhr

Bücherhalle in der Neustadt
Kohlhöfen 21, 20355 Hamburg, Telefon 040/342245
Öffnungszeiten: Mo., Di., Fr. 11–13.30 + 14.30–17 Uhr,
Do. 11–13.30 + 14.30–19 Uhr

HWWA-Institut für Wirtschaftsforschung-Hamburg
(Bibliothek. Pressedokumentation und Archive)
Neuer Jungfernstieg 21, 20354 Hamburg, Telefon 040/3562274
Öffnungszeiten: Mo.–Fr. 9–19 Uhr

Bibliothek des Staatsarchivs
ABC-Str. 19A, 20354 Hamburg, Telefon 040/36811867
Öffnungszeiten: Mo.–Fr. 10–16 Uhr

Commerzbibliothek der Handelskammer Hamburg
Adolphsplatz 1, 20457 Hamburg, Telefon: 040/36138377/373
Öffnungszeiten: Mo., Di., Fr. 10–15 Uhr, Do. 10–19 Uhr

Rathaus und Börse

Rathaus
Führungen, wenn keine offiziellen Veranstaltungen stattfinden,
Mo.–Do. 10–15 Uhr, Fr.–So. 10–13 Uhr (halbstündlich)
englisch/französisch: Mo.–Do. 10.15–15.15 Uhr,
Fr.–So. 10.15–13.15 Uhr (stündlich)
Auskunft: 040/3681–2470

Börse:
Führungen (Auskünfte: Mo.–Do. zwischen 9.30–10.45 Uhr)
Telefon 040/3613–0218

Stadt-, Regional-, Landkarten
Dr. Götze Land & Karte
Bleichenbrücke 9 in der Bleichenhof-Passage, 20354 Hamburg,
Telefon 040/3480313
Öffnungszeiten: Mo.–Mi. 9.30–18.30 Uhr, Do. 9.30–20.30 Uhr,
Fr. 9.30–18.30 Uhr, Sa. 9.30–14 Uhr, 1. Sa. im Monat 9.30–16 Uhr

Stadtrundfahrten/Stadtrundgänge

Kleine Stadtrundfahrt, Große Stadtrundfahrt, Nostalgische Stadtrundfahrt mit der Hummelbahn (Telefon 040/227106–0 oder 30051–0)
Alternative Stadtrundfahrt zu den Stätten des Widerstandes
(Telefon 040/3195345),
Ökologische Stadtrundfahrt (Telefon 040/3906274 14–18 Uhr)

Stadtrundgänge abseits von den Sightseeing-Touren durch alle Hamburger Stadtteile bietet das Museum der Arbeit
(Telefon 040/2989–2364) So. 11 Uhr Speicherstadt ganzjährig, So. 14 Uhr von April–Oktober wechselnde Themen; Führungen für private Gruppen ganzjährig

Touristik-Information im Hauptbahnhof, Hauptausgang
täglich 7–23 Uhr, Telefon 040/30051–30

Touristik-Information im Flughafen, Terminal 4
täglich: 8–23 Uhr, Telefon 040/30051–240

Touristik-Information im Hanse-Viertel, Eingang Poststraße
Mo.–Fr. 10–18.30 Uhr, Do. 10–20 Uhr, Sa. 10–15 Uhr,
langer Sa. 10–18 Uhr, So. 11–15 Uhr, Telefon 040/30051–220

Touristik-Information am Hafen
St. Pauli Landungsbrücken zwischen Brücke 4 + 5
täglich: 9–18 Uhr, Nov.–Febr. 10–17 Uhr, Telefon 040/30051–200

Vereine und Verbände

Hamburgische Gesellschaft zur Beförderung der Künste und nützlichen Gewerbe (Patriotische Gesellschaft von 1765)
Trostbrücke 4 (Saaleingang Trostbrücke 6), 20457 Hamburg,
Telefon 040/363319/366629
Geschäftszimmer: Mo.–Do. 9 – 17 Uhr, Fr. 9–14 Uhr

Wochenmarkt
Neustadt: Großneumarkt, Mi. + Sa. 8.30–13.30 Uhr

Literatur

Architekten- und Ingenieur-Verein Hamburg e. V. und Hamburgische Gesellschaft zur Beförderung d. Künste und nützlichen Gewerbe (Hrsg.), Hamburg und seine Bauten 1969–1984, Hamburg 1984

Bachmann, Wolfgang, vom Einhalten der städtebaulichen Kleiderordnung, in: Architektur in Hamburg, Jahrbuch 1989

Behr, Karin von, Der Spitalerhof: Redlich und behäbig, in: Architektur in Hamburg, Jahrbuch 1992

Bender, Otto, Die Hamburger Neustadt: 1878–1986. Stadtansichten einer Photographenfamilie, Hamburg 1986

Bucciarelli, Piergiacomo, Fritz Höger. Hanseatischer Baumeister 1877–1949, Berlin-Kreuzberg 1992

Evans, Richard J., Tod in Hamburg. Stadt, Gesellschaft und Politik in den Cholera-Jahren 1830–1910, Reinbek bei Hamburg 1990

Geissler, Robert, Hamburg. Ein Führer durch die Stadt und ihre Umgebungen, Leipzig 1861, Nachdruck, Hamburg 1977

Grüttner, Michael, Arbeitswelt an der Wasserkante: Sozialgeschichte d. Hamburger Hafenarbeiter 1886–1914, Göttingen 1984 (Kritische Studien zur Geschichtswissenschaft, Bd. 63)

HB Verlags- und Vertriebsgesellschaft mbH, Kunstführer Hamburg, Nr. 39, Hamburg 1991

Hamburgische Architektenkammer (Hrsg.), Architektur in Hamburg. Jahrbuch 1989–1994

Hansen, Ingrid, Hamburger Bau- und Kulturdenkmale. Innenstadt und Hafenrand, 2. Aufl. Hamburg 1992

Haspel, Jörg, Von den Dammtor-Friedhöfen zum Japanischen Garten. Geschichtszerstörung als Traditionspflege? in: Architektur in Hamburg 1991

Hipp, Hermann, Jung, Evi, Begleitschrift zum Buch und Mappenwerk Hamburgs Neubau, Hannover 1985. (hrsg. im Jahre 1985 von der Edition »libri vari«)

Hipp, Hermann, Heimat in der City – Die Wandlung des Stadtbildes, in: Ellermeyer, Jürgen, Postel, Rainer (Hrsg.), Stadt und Hafen. Hamburger Beiträge zur Geschichte von Handel und Schiffahrt, Hamburg 1986

Hipp, Hermann, Freie und Hansestadt Hamburg: Geschichte, Kultur und Stadtbaukunst an Elbe und Alster, Köln 1989

Höhns, Ulrich, Scharfenorth, Heiner, Das Erbe der Handlungsgehilfen, in: Architektur in Hamburg 1992

Kamphausen, Alfred, Der Baumeister Fritz Höger, Neumünster 1972
Marg, Volkwin, Schröder, Reiner, Architektur in Hamburg seit 1900, Hamburg 1993

Meyer-Veden, Hans (Hrsg.), Hamburger Kontorhäuser, Berlin 1988

Meyhöfer, Dirk, Der Bleichenhof: Lust oder Last?, in: Architektur in Hamburg, Jahrbuch 1991

ders., Kantorhausarchitektur: Hamburgs Neues Gesicht, in: Architektur in Hamburg, Jahrbuch 1993

Museum der Arbeit (Hrsg.), Historische Stadtrundgänge. Kaufmannshäuser, Speicher und Kantore – von der Deichstraße zur Speicherstadt, Hamburg 1989

Plagemann, Volker (Hrsg.), Industriekultur in Hamburg. Des Deutschen Reiches Tor zur Welt, München 1984

Plagemann, Volker, »Vaterstadt, Vaterland . . .«, Denkmäler in Hamburg, Hamburg 1986

Richter, Andrea, Hypo-Bank: Weißer Schwan in der Backsteinstadt, in: Architektur in Hamburg, Jahrbuch 1990

Skrentny, Werner (Hrsg.), Hamburg zu Fuß. 20 Stadtrundgänge durch Geschichte und Gegenwart, Hamburg 1986

Stein, Irmgard, Jüdische Baudenkmäler in Hamburg, Hamburg 1984 (Hamburger Beiträge zur Geschichte der deutschen Juden, Bd. 11)

Verein zur Erhaltung und Förderung der Alsterarkaden e. V. durch Gerhard Lampe, Rolf Osthnes, Günter Schmeel, Die Alsterarkaden, Hamburg 1990

Walden, Hans, Kommunalpolitik mitten in Hamburg. 40 Jahre Bezirksversammlung Hamburg-Mitte, Hamburg 1989

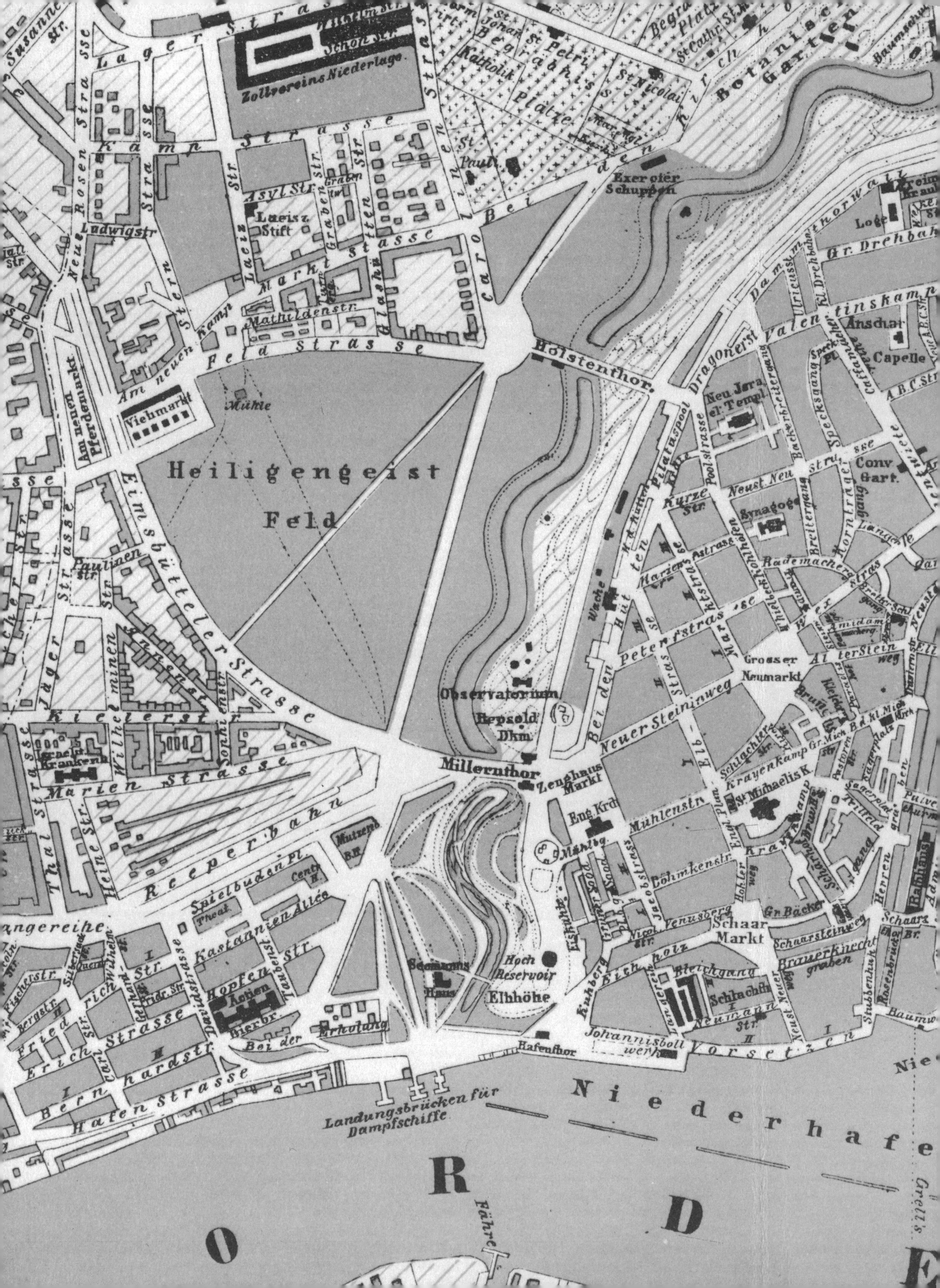

Zollvereins Niederlage
Heiligengeist
Feld
Mühle
Viehmarkt
Am neuen Pferdemarkt
Holstenthor.
Millernthor
Observatorium
Repsold Dhm.
Zeughaus Markt
Exercier Schuppen
Botanischer Garten
Katholik Begräbnis Plätze
St. Petri
St. Nicolai
St. Pauli
Laeisz Stift
Asyl Str.
Markt Strasse
Mathildenstr.
Feld Strasse
Am neuen Kamp
Ludwigstr.
Neue Rosen Str.
Lager Strasse
Kamp Strasse
Eimsbütteler Strasse
Paulinen Str.
Kielerstr.
Marien Strasse
Reeperbahn
Spielbuden Pl.
Kastannien Allée
Hopfen Str.
Davidstrasse
Taubenstr.
Erich Strasse
Bernhardstr.
Hafen Strasse
Landungsbrücken für Dampfschiffe
Hafenthor
Johannisbollwerk
Vorsetzen
Niederhafen
Hoch Reservoir
Elbhöhe
Seemanns Haus
Mühlenstr.
St. Michaelis K.
Krayenkamp
Schaar Markt
Neuer Steinweg
Peterstrasse
Grosser Neumarkt
Alter Steinweg
Synagoge
Neu Isra el. Templ.
Dragonerst.
Valentinskamp
Anschar Capelle
Conv. Gart.
Dammthorwall
Gr. Drehbahn
Loge
Poolstrasse
Kurze Str.
Wache
Bei den Hütten
Elb-Strasse
Markstrasse
Rademacherg.
Brauerknecht graben
Schaarsteinweg
Eichholz
Bleichgang
Schlachth.
Neumann Str.
Rathhaus
Fähre
R
D
O